# 我的父亲母亲

梁晓声 著

中国青年出版社

# 目 录

第二辑 兄长



第三辑 野草根祭

# 序

## 我的父母

一九四九年九月二十二日，我出生在哈尔滨市安平街一个人家众多的大院里，我的家是一间半低矮的苏式房屋。邻院是苏联侨民的教堂，经常举行各种宗教仪式，我从小听惯了教堂的钟声。

父亲目不识丁，祖父也目不识丁。原籍山东省荣成温泉寨村。上溯十八代乃至二十八代三十八代，尽是文盲，尽是穷苦农民。

父亲十几岁时，因生活所迫，随村人“闯关东”来到了哈尔滨。

他是我们家族史上的第一个工人，建筑工人。他扭转了我们这一梁姓家族的成分。我在小说《父亲》中，用两万余纪实性的文字，为他这一个中国的农民出身的“工人阶级”立了一篇小传。从转折的意义讲，他是我们家族史上的一座丰碑。

父亲对我走上文学道路从未施加过任何有益的影响，不仅因为他是文盲，也因为从一九五六年起，我七岁的时候，他便离开哈尔滨市建设大西北去了。从此每隔两三年他才回家与我们团聚一次，我下乡以后，与父亲团聚更不易了。在我的记忆中，父亲是反对我们几个孩子看“闲书”的。见我们捧着一本什么小说看，他就生气。看“闲书”是他这位父亲无法忍受的“坏毛病”。父亲常因母亲给我们钱买“闲书”而对母亲大发其火。家里穷，父亲一个人挣钱养家糊口，也真难为他。每一分钱都是他用汗水换来的。父亲的工资仅够勉强维持一个市民家庭最低水平的生活。

母亲也是文盲。外祖父去读过几年私塾，是东北某农村解放前农民称为“识文断字”的人，故而同是文盲，母亲与父亲不大一样。父亲是个崇尚力气的文盲，母亲是个崇尚文化的文盲。崇尚相左，对我们几个孩子寄托的希望也便截然对立。父亲希望我们将来都能靠力气吃饭，母亲希望我们将来都能成为靠文化自立于社会的人。父亲的教育方式是严厉的训斥和惩罚，父亲是将“过日子”的每一样大大小小的东西都看得很贵重的。母亲的教育方式堪称真正的教育，她注重人格、品德、礼貌和学习方面。值得庆幸的是，父亲常年在大西北，我们从小接受的是母亲的教育。母亲的教育至今仍对我为人处世深有影响。

母亲从外祖父那里知道许多书中的人物和故事，而且听过一些旧戏，乐于将书中或戏中的人物和故事讲给我们。母亲年轻时记忆强，什么戏剧什么故事，只要听过一遍，就能详细记住。有些戏中的台词唱段，几乎能只字不差地复述。母亲善于讲故事，讲时带有很浓的个人感情色彩。我从五六岁开始，就从母亲口中听到过“包公传”、“济公传”、“杨家将”、“岳家将”、“侠女十三妹”的故事。母亲是个很善良的女人，善良的女人大多喜欢悲剧。母亲尤其愿意尤其善于讲悲剧故事——“秦香莲”、“风波亭”、“杨业碰碑”、“赵氏孤儿”、“陈州放粮”、“王宝钏困守寒窑”、“三勘蝴蝶梦”、“钓金龟”、“牛郎织女”、“天仙配”、“水漫金山寺”、“劈山救母”、“杜十娘怒沉百宝箱”，母亲边讲边落泪，我们边听边落泪。

我于今在创作中追求悲剧情节、悲剧色彩，不能自已地在字里行间流溢浓重的主观感情色彩，可能正是由于小时候听母亲带着她浓重的主观感情色彩讲了许多悲剧故事的结果。我认为，文学对于一个作家儿童时代的心灵所形成的直接或间接的影响，对一个作家在某一时期或某一阶段的创作风格起着“先天”的、潜意识的作用。

母亲在我们小时候给我们讲故事，当然绝非想要把我们都培养成为作家，而仅靠听故事，一个儿童也不可能直接走上文学道路。

我们所住的那个大院，人家多，孩子也多。我们穷，因为穷而在那个大院中受着种种歧视。父亲远在大西北，因为家中没有一个男人而受着种种欺辱。我们是那个市民大院中的人下人。母亲用故事将我们吸引在而不是囚禁在家中，免得我们在大院里受欺辱或惹是生非，同时用故事排遣她自己内心深处的种种愁苦。

这样的情形至今仍常常浮现在我眼前：电灯垂得很低，母亲一边在灯下给我们缝补衣服，一边用凄婉的语调讲着她那些凄婉的故事。我们几个孩子，趴在被窝里，露出脑袋，瞪大眼睛凝神谛听，讲到可悲处，母亲与我们唏嘘一片。

如果谁认为一个人没有导师就不可能走上文学道路的话，那么我的回答是——我的第一位导师，是母亲。我始终认为这是我的幸运。

如果我认为我的母亲是我文学上的第一位导师不过分，那么也可以说我的这位小学语文老师是我文学上的第二位导师。假若在我的生活中没有过她们，我今天也许不会成为作家。

# 第一辑

## 普通人

# 普通人

父亲去世已经一个月了，我仍为我的父亲戴着黑纱。

有几次出门前，我将黑纱摘了下来，但倏忽间，内心里涌起一种怅然若失的情感。戚戚地，我便又戴上了。我不可能永不摘下。我想，这是一种纯粹的个人情感，尽管这一种个人情感在我有不可殚言的虔意。我必得从伤绪之中解脱，也是无须凭别人劝慰我自己明白的。然而怀念是一种相会的形式，我们人人的情感都曾一度依赖于它……

这一个月里，又有电影或电视剧制片人员，到我家来请父亲去当群众演员。他们走后，我就独自静坐，回想起父亲当群众演员的一些微事……

一九八四年至一九八六年，父亲栖居北京的两年，曾在五六部电影和电视剧中当过群众演员。在北影院内，甚至范围缩小到我当年居住的十九号楼内，这是司空见惯的事。

父亲被选去当群众演员，毫无疑问地最初是由于他那十分惹人注目的胡子。父亲的胡子留得很长，长及上衣第二颗纽扣，总体银白，谁见了谁都对我说："梁晓声，你老父亲的一把大胡子真帅。”

父亲生前极爱惜他的胡子，兜里常揣着一柄木质小梳，闲来无事，就梳理。记得有一次，我的儿子梁爽，天真发问：“爷爷，你睡觉的时候，胡子是在被窝里，还是在被窝外呀？”

父亲一时答不上来。那天晚上，父亲竟至于因为他的胡子而几乎彻夜失眠，竟至于捅醒我的母亲，问自己一向睡觉的时候，胡子究竟是在被窝里还是在被窝外呀？无论他将胡子放在被窝里还是放在被窝外，总觉得不那么对劲儿……

父亲第一次当群众演员，在《泥人常传奇》剧组，导演是李文化。副导演先找了父亲，父亲说得征求我的意见。父亲大概将当群众演员这回事看得太重，以为便等于投身了艺术，所以希望我替他做主，判断他到底能不能胜任。父亲从来不做自己胜任不了之事，他一生不喜欢那种滥竽充数的人。

我替父亲拒绝了。那时群众演员的酬金才两元，我之所以拒绝不是因为酬金低，而是因为我不愿我的老父亲在摄影机前被人呼来挥去的。

李文化亲自来找我，说他这部影片的群众演员中，少了一位长胡子老头儿。“放心，我吩咐对老人家要格外尊重，像尊重老演员们一样还不行吗？”——他这么保证。

无奈，我只好违心同意。

从此，父亲便开始了他的“演员生涯”。更准确地说，是“群众演员”生涯——在他七十四岁的时候。父亲演的尽是迎着镜头走过来或背着镜头走过去的“角色”。说那也算“角色”，是太夸大其词了。不同的服装，使我的老父亲在镜头前成为老绅士、老乞丐，摆烟摊的或挑菜行卖的……

不久，便常有人对我说：“哎呀晓声，你父亲真好，演戏认真极了！”

父亲做什么事都认真极了，但那也算“演戏”吗？我每每一笑置之，然而听到别人夸奖自己的父亲，内心里总是高兴的。

一次，我从办公室回家，经过北影一条街——就是那条旧北京假景街，见父亲端端地坐在台阶上，而导演们在摄影机前指手画脚地议论什么，不像再有群众场面要拍的样子。时已中午，我走到父亲跟前，说：“爸爸，你还坐在这儿干什么呀？回家吃饭吧。”

父亲说：“不行，我不能离开。”

我问：“为什么？”

父亲回答：“我们导演说了——别的群众演员没事儿了，可以打发走了，但这位老人不能走，我还用得着他！”

父亲的语调中，很有一种自豪感似的。

父亲坐得很特别，那是一种正襟危坐。他身上的演员服，是一件褐色绸质长袍。他将长袍的后摆，掀起来搭在背上，而将长袍的前摆，卷起来放在膝上。他不倚墙，也不靠什么，就那样子端端地坐着，也不知已经坐了多久。分明的，他唯恐使那长袍沾了灰土或弄褶皱了……

父亲不肯离开，我只好去问导演。导演却已经把我的老父亲忘在脑后了，一个劲儿地向我道歉……

中国之电影电视剧，群众演员的问题，对任何一位导演，都是很沮丧的事。

往往需要十个群众演员，预先得组织十五六个，真开拍了，剩下一半就算不错。有些群众演员，钱一到手，人也便脚底板抹油，溜了。群众演员在这一点上，倒可谓相当出色地演着我们现实中的些个“群众”，些个中国人。难得有父亲这样的群众演员。

我细思忖：都愿请我的老父亲当群众演员，当然并不完全因为他的胡子……

那两年内，父亲睡在我的办公室。有时我因写作到深夜，常和父亲一块儿睡在办公室。有一天夜里，下起了大雨。我被雷声惊醒，翻了个身，黑暗中，恍恍地，发现父亲披着衣服坐在折叠床上吸烟。

我好生奇怪，不安地询问：“爸，你怎么了？为什么夜里不睡吸烟？爸，你是不是有什么心事啊？”

黑暗之中，但闻父亲叹了口气。许久，才听他说：“唉，我为我们导演发愁哇，他就怕这几天下雨……”

父亲不论在哪一个剧组当群众演员，都一概地称导演为“我们导演”。从这种称谓中我听得出来，他是把他自己——一个迎着镜头走过来或背着镜头走过去的群众演员，与一位导演之间联得太紧密了。或者反过来说，他是太把一位导演，与一个迎着镜头走过来或背着镜头走过去的群众演员联得那么紧密。而我认为这是荒唐的，而我认为这实实在在是很犯不上的。

我嘟哝地说：“爸，你替他操这份心干吗？下雨不下雨的，与你有什么关系？睡吧睡吧。”

“有你这么说话的吗？”父亲教训我道，“全厂两千来人，等着这一部电影早拍完，早收了，才好发工资，发奖金，你不明白？你一点儿不关心？”

我佯装没听到，不吭声。父亲刚来时，对于北影的事，常以“你们厂”如何如何而发议论，而发感慨。不知从什么时候开始，他不说“你们厂”了，只说“厂里”了。倒好像他就是北影的一员，甚至倒好像他就是北影的厂长……

天亮后，我起来，见父亲站在窗前发怔。

我也不说什么，怕一说，使他觉得听了逆耳，惹他不高兴。

后来父亲东找西找的。我问找什么。他说找雨具，说要亲自到拍摄现场去，看看今天究竟是能拍还是不能拍。

他自言自语：“雨小多了嘛，万一能拍呢？万一能拍，我们导演找不到我，我们导演岂不是发急吗？”

听他那口气，仿佛他是主角。

我说：“爸，我替你打个电话，向你们剧组问问不就行了吗？”

父亲不语，算是默许了。于是我就到走廊去打电话，其实是为我自己的事打电话。

回到办公室，我对父亲说：“电话打过了，你们组里今天不拍戏。”——我明知今天准拍不成。

父亲火了，冲我吼：“你怎么骗我？你明明不是给我剧组打电话！”父亲果然又不高兴了。

父亲又以教训的口吻说：“要是都像你这种态度，那电影，能拍好吗？老百姓当然不愿意看。一句台词，光是说说的事吗？脸上的模样要是不对劲，不就成了嘴里说阴，脸上作晴了吗？”

父亲的一番话，倒使我哑口无言。

惭愧的是，我连父亲不但在其中当群众演员，而且说过一句台词的这部电影，究竟是哪个厂拍的、片名是什么，至今一无所知。我说得出片名的，仅仅三部电影——《泥人常传奇》、《四世同堂》、《白龙剑》。

前几天，电视里重播电影《白龙剑》，妻忽指着屏幕说："梁爽，你看你爷爷。"

我正在看书，目光立刻从书上移开，投向屏幕——哪里有父亲的影子……

我急问："在哪儿在哪儿？"

妻说："走过去了。"

是啊，父亲所"演"的，不过就是些迎着镜头走过来或背着镜头走过去的群众角色，走得时间最长的，也不过就十几秒钟。然而父亲的确是一位极认真极投入的群众演员——与父亲"合作"过的导演们都这么说……

在我写这篇文字间又有人打来电话——

"梁晓声？"

"是我。"

"我们想请你父亲演个群众角色啊……"

"这……我父亲已经去世了……"

"去世了？……对不起……"

对方的失望大大多于歉意。

如今之中国人，认真做事认真做人的，实在不是太多了。如今之中国人，仿佛对一切事都没了责任感。连当着官的人，都不肯愿意认真地当官了。有些事，在我，也渐渐地开始不很认真了，似乎认真首先是对自己很吃亏的事。

父亲一生认真做人，认真做事，连当群众演员，也认真到可爱的程度。这大概首先与他愿意是分不开的。一个退了休的老建筑工人，忽然在摄影机前走来走去，肯定是他的一份愉悦。人对自己极反感之事，想要认真也是认真不起来的。这样解释，是完全解释得通的。但是我——他的儿子，如果仅仅得出这样的解释，则证明我对自己的父亲太缺乏了解了。

我想——“认真”二字，之所以成为父亲性格的主要特点，也许更因为他是一位建筑工人，几乎一辈子都是一位建筑工人，而且是一位优秀的获得过无数次奖状的建筑工人。

一种几乎终生的行业，必然铸成一个明显的性格特点。建筑师们，是不会将他们设计的蓝图给建筑工人——也即那些砖瓦灰泥匠们过目的。然而哪一座伟大的宏伟建筑，不是建筑工人们一砖一瓦盖起来的呢？正是那每一砖每一瓦，日复一日、月复一月、年复一年地，十几年、几十年地，培养成了一种认认真真的责任感，一种对未来之大厦矗立的高度的可敬的责任感。他们虽然明知，他们所参与的，不过一砖一瓦之劳，却甘愿通过他们的一砖一瓦之劳，促成别人的冠环之功。

他们的认真乃因为这正是他们的愉悦。

愿我们的生活中，对他人之事的认真，并能从中油然引出自己愉悦的品格，发扬光大起来吧。

父亲是一个普通得不能再普通的人。父亲曾是一个认真的群众演员，或者说是一个“本色”的群众演员。

以我的父亲为镜，我常不免问我自己——在生活这大舞台上，我也是演员吗？我是一个什么样的演员呢？就表演艺术而言，我崇敬性格演员。就现实中人而言，恰恰相反，我崇敬每一个“本色”的人，而十分警惕“性格演员”……

# 父亲的遗物

我站在椅上打开吊柜寻找东西，蓦地看见角落里那一只手拎包。它是黑色的，革的，很旧的，拉锁已经拉不严了，有的地方已经破了。虽然在吊柜里，竟也还是落了一层灰尘。

我呆呆站在椅上看着它，像一条走失了多日又终于嗅着熟悉的气味儿回到了家里的小狗看着主人……

那是父亲生前用的手拎包啊！

父亲病故十余年了，手拎包在吊柜的那一个角落也放了十余年了。有时我会想到它在那儿，如同一个读书人有时会想到对自己影响特别大的某一部书在书架的第几排。更多的日子里更多的时候，我会忘记它在那儿，忘记自己曾经是儿子的种种体会……

十余年中，我不止一次地打开过吊柜，也不止一次地看见过父亲的手拎包，但却从没把它取下过，事实上我怕被它引起思父的感伤。从少年时期至青年时期至现在，我几乎一向处在多愁善感的心态中。我觉得我这个人被那种心态缠绕得实在太久了，我怕陷入不可名状的亲情的回忆，我承认我每有逃避的企图……

然而这一次我的手却不禁地向父亲的遗物伸了过去。近年来，我内心里常涌起一种越来越强烈的倾诉愿望，但是我却不愿被任何人看出我其实也有此愿。这一种封闭在内心里的愿望，那一时刻使我对父亲的遗物倍觉亲切。尽管我知道那即使不是父亲的遗物而是父亲本人仍活着，我也断不会向父亲倾诉我人生的疲惫感。

我的手伸出又缩回，几经犹豫，最终还是把手拎包取了下来……

我并没打开它。

我认真仔细地把灰尘擦尽，转而腾出衣橱的一格，将它放入衣橱里了。我那么做时心情很内疚，因为那手拎包作为父亲的遗物，早就该放在一处更适当的地方，而十余年中，它却一直被放在吊柜的一角——那绝不是该放一位父亲的遗物的地方。一个对自己父亲感情很深的儿子，也是不该让自己父亲的遗物落满了灰尘的啊！

我不必打开它，也知里面装的什么——一把刮胡刀。在我很小的时候，就见过父亲用那一把刮胡刀刮胡子。父亲的络腮胡子很重，刮时发出刺啦刺啦的响声。父亲死前，刮胡刀的刀刃已被用窄了，大约只有原先的一半那么宽了。因为父亲的胡子硬，每用一次，必磨一次。父亲的胡子又长得快，一个月刮五六次，磨五六次，四十几年的岁月里，刀刃自然耗损明显。如今，连一些理发店里，也用起安全刀片来了。父亲那一把刮胡刀，接近于文物了……

手拎包里还有一个小小的牛皮套，其内是父亲的印章。父亲一辈子只刻过那么一枚印章，木质的，比我用的钢笔的笔身粗不到哪儿去。父亲一生离不开那印章，是工人时每月领工资要用，退休后每三个月寄来一次退休金，每月六十余元，一年仅用数次……

一对玉石健身球，是我花五十元为父亲买的。父亲听我说是玉石的，虽然我强调我只花了五十元，父亲还是觉得那一对健身球特别宝贵似的。他只偶尔转在手里，之后立刻归放盒中。其中一只被他孙子小时候非要去玩，结果掉在阳台的水泥地上摔裂了一条纹……

父亲当时心疼得直跺脚，连说："哎呀，哎呀，你呀，你呀！真败家，这是玉石的你知道不知道哇！……"

再有，就是父亲身份证的影印件了。原件在办理死亡证明时被收缴注销了，我预先影印了，留作纪念。手拎包的里面还有一层，那道拉锁是好的，影印件就在夹层里。

除了以上东西，父亲这一位中国第一代建筑工人，再就没留下什么遗物了。仅有的这几件遗物中，健身球还是他的儿子给他买的。

手拎包的拉锁，父亲生前曾打算换过，但那要花三元多钱，花钱方面仔细了一辈子的父亲舍不得花三元多钱。父亲曾试图自己换，结果发现皮革已有些糟了，"咬"不住线了，自己没换成。我曾给过父亲一只开什么会发的真皮的手拎包，父亲却将那包收起来了，舍不得用，他生前竟没往那真皮的手拎包里装过任何东西……

他那只旧拎包夹层的拉锁既然仍是好的，父亲就格外在意地保养它，方法是经常为它打蜡。父亲还往拉锁上安了一个纽扣那么大的小锁，因为那夹层里放过对父亲来说极重要的东西——六千元整的存折。那是父亲一生的积攒，他常说是为他的孙子我的儿子积攒的……

父亲逝前一个月，我为父亲买了六七盒“蛋白注射液”，大约用了近三千元钱。我明知那绝不能治愈父亲的癌症，仅为我自己获得一点儿做儿子的心理安慰罢了。父亲那一天状态很好，目光特别温柔地望着我笑了。

可母亲走到了父亲的病床边，满脸忧愁地说：“你有多少钱啊？买这种药能报销吗？你想把你那点儿稿费都花光呀？你们一家三口以后不过了呀？……”

当时已为父亲花了一万多元，父亲的单位效益不好，还一分钱也没给报销，母亲是知道这一点的。在已无药可医的丈夫和她的儿子之间，尤其当母亲看出我这个儿子似乎要不惜一切代价地延缓父亲的生命时，她的一种很大的忧虑便开始转向我这一方面了……

当我捧着药给父亲看，告诉父亲那药对治他的病疗效多么显著时，却听母亲从旁说出那种话，我的心情可想而知。

仰躺着已瘦得虚脱了的父亲低声说：“如果我得的是治不好的病，就听你妈的话，别浪费钱了……”沉默片刻，又说：“儿子，我不怕死。”

再听了父亲的话，我心凄然。那药是我求人写了条子，骑自行车到很远的医院去买回来的呀，进门后脸上的汗还没来得及擦一下呀……

结果我在父亲的病床边向母亲大声嚷嚷了起来：“妈妈，你再说这种话，最好回哈尔滨算了！”我甚至对母亲说出了如此伤她老人家心的冷言冷语。

母亲是那么的忍辱负重。她默默地听我大声嚷嚷，一言不发，而我却觉得自己的孝心被破坏了，还哭了。

母亲听我宣泄够了，离开了家，直至半夜十一点多才回家。如今想来，母亲也肯定是在外边的什么地方默默哭过的。

哦，上帝，上帝，我真该死啊！当时我为什么不能以感动的心情去理解老母亲的话呢？我伤母亲的心竟怎么那么的近于冷酷呀？！

一个月后，父亲去世了，母亲回哈尔滨了……

我心里总想着应向母亲认错，可直至她也去世了，认错的话竟没机会对她说过……

母亲留下的遗物就更少了。我选了一条围脖和一个半导体收音机。围脖当年的冬季我一直围着，企图借以重温母子亲情。半导体收音机是我为母亲买的，现在给哥哥带到北京的精神病院去了。他也不听。我想哪次我去看他，要带回来，保存着。

我写字的房间里，挂着父亲的遗像——一位面容慈祥的美须老人。书架上摆着父亲和我们兄弟四人一个妹妹青少年时期的合影，都穿着棉衣。我们一家竟没有一张“全家福”。在哈尔滨市的四弟家里，有我们年龄更小时与母亲的合影。那是夏季的合影，那时母亲才四十来岁，看上去还挺年轻……

父亲在世时，常对我儿子说：“你呀，你呀，几辈子人的福，全让你一个人享着了！”现在上高三了的儿子，却从不认为他幸福，面临高考竞争的心理压力，也使他过早地体会了人生的疲惫……

现在，我自己竟每每想到“死”这个字了。我也不怕死，只是觉得，还有些亲情责任未尽周全。我是根本不相信另一个世界之存在的，但有时也孩子气地想，倘果有冥间，那么岂不就省了投胎转世的麻烦，直接地又可以去做父母的儿子了吗？那么我将再也不会伤父母的心了。在我们这个阳世没尽到的孝，我就有机会在阴间弥补遗憾了。阴间一定有些早夭的孩子，那么我愿在阴间做他们的老师。阴间一定没有升学竞争吧？那么孩子们和我双方的教与学一定是轻松快乐的。我希望父亲做一名老校工，我相信父亲一定会做得非常敬业。我希望母亲为那阴间的学校养群鸡，母亲爱养鸡，我希望阴间的孩子们天天都有鸡蛋吃。这想法其实并不使我悲观，恰恰相反，常使我感觉到某种乐观的呼唤，故我又每每孩子气地在心里说：爸爸，妈妈，耐心等我……

# 母亲播种过什么

预感竟是真的有过的，似乎父亲和母亲逝前，总是会传达给我一些心灵的讯息。

十月中旬，我和毕淑敏见过一面。她告诉我她在师大进修心理学，我便向她请教，我说今年以来，无论白天还是夜晚，无论睡着还是醒着，我眼前常有这样一幅画面移动着——在冬季，在北方小村外的雪路上，一只羊拉着一架爬犁，谨慎又从容地向村里走着。爬犁上是一桶井水，不时微少地荡出，在桶外和爬犁上结了一层晶莹的冰。爬犁后同样步态谨慎而又从容地跟随着一位少女，扎红头巾，脸蛋儿亦冻得通红，袖着双手。而漫天飘着清冽的小雪花儿……

并且，我向毕淑敏强调，此电影似的画面，绝非我从任何一本书中读到过的情节，也绝非我头脑中产生的构思片段。事实上一年多以来，尽管此画面一次比一次清晰地向我浮现，但我却从未打算将这画面用文字写出来……

毕淑敏沉吟片刻，答出一句话令我暗讶不已。

她说："你不妨问问你母亲。"

我母亲属羊，母亲的母亲也属羊，而这都是毕淑敏所不知道的。

而母亲于昏迷中入院的第二天，哈尔滨降下了入冬的第一场雪……

我的思想是相当唯物的，但受情感的左右，难免也会变得有点儿唯心起来——莫非母亲的母亲，注定了要在这一年的冬季，将她的女儿领走？我没见过外祖母，但知外祖母去世时，母亲尚是少女……

那么那一桶清澈的井水意味些什么呢？

在医院里，在母亲的病床前，以及在母亲出殡的过程中，我见到了母亲的一些干儿女。

我早知母亲有些干儿女，究竟有多少，并不很清楚。凡三十余年间，有的见过几面，有的竟不曾见过，但我清楚，在漫长的三十余年间，他们对母亲怀着很深很深的感情。

他们当年皆是我弟弟那一辈的小青年。

话说当年，指的是“上山下乡”运动开始以后。许多家庭的长子长女和次子次女，和我以及我的三弟一样，都恋恋不舍地告别了家庭和城市。城市中留下的大抵是各个家庭的小儿女，年龄在十六七岁和十八九岁之间。那个年代，这些平民家庭的小儿女啊，似些孤独的羔羊，面对今天这样明天那样的政治风云，彷徨、迷惘、无奈、亲情失落不知所依。他们中，有人当年便是丧父或失母的小儿女。

既都是平民家的小儿女，所分配的工作也就注定了不能与愿望相符。或做街头小食杂店的售货员，或做挖管道沟的临时工，或在生产环境破败的什么小厂里学徒……

某一年夏天，是知青的我回哈探家，曾去酱油厂看过我四弟的劳动情形。

斯时他们几名小工友，刚刚挥板锨出几吨酱渣，一个个只着短裤，通体大汗淋漓，坐在车间的窗台上，任穿堂凉风阵阵扑吹，唱印度电影《流浪者》中的“拉兹之歌”——

○

我和任何人都没来往，

命运啊，

我的星辰，

你把我引向何方引向何方。

……

○

他们心中的苦闷种种，是不愿对自己的家庭成员吐诉的，但这些城市中的小儿女，又是多么需要一个耐心倾听他们吐诉的人啊！那倾听者，不仅应有耐心，还应有充满心间的爱心。还应在他们渴望安慰和体恤之时，善于安慰，善于劝解，并且，由衷地予以体恤……

于是，他们后来都非常信赖也不无庆幸地选择了母亲。

于是，母亲也就以她母性的本能，义不容辞地将他们庇护在自己身边。像一只母鸡展开翅膀，不管自家的小鸡抑或别人家的小鸡，只要投奔过来，便一概地遮拢翅下……

那些城市中的小儿女啊，当年他们并没有什么可回报母亲的，只不过在年节或母亲生病时，拎上一包寻常点心或两瓶廉价罐头聚于贫寒的我家看望母亲。再就是，改叫“大娘”为叫“妈”了。有时混着叫，刚叫过“大娘”，紧接着又叫“妈”。与点心和罐头相比，一声“妈”，倒显得格外的凝重了。

既被叫“妈”，母亲自然便于母性的本能而外，生出一份油然的责任感。母亲关心他们的许多方面——在单位和领导和工友的关系，在家中是否与亲人温馨相处，怎样珍惜友情，如何处理爱情，须恪守什么样的做人原则，交友应防哪些失误，不借政治运动之机伤害他人报复他人，不可歧视那些被政治打入另册的人，等等……

母亲以她一名普通家庭妇女善良宽厚的本色，经常像叮咛自己的亲儿女一样，叮咛她的干儿女们不学坏人做坏事，要学好人做好事。

此世间亲情，竟延续了三十年之久。我曾很不以为然过，但母亲对我的不以为然也同样不以为然。她不与我争辩，以一种心理非常满足的、默默的矜持，表明她所一贯主张的做人态度。直至她去世前三天，还希望能为她的一个干女儿和一个干儿子促成一次大媒……

而他们，一个帮着四弟将母亲送入医院，一个一小时后便闻讯匆匆赶到医院，三十几个小时不曾回家，不曾离开过医院！母亲逝后，她的干儿女们都纷纷来到了弟弟家。我说——不必在家中设灵位了吧！他们说——要设。我说——不必非轮守四十八小时灵了吧！他们说——要守。这些三十年前的城市平民家庭的小儿女啊，三十年前是小徒工们，如今仍是工人们。只不过，有的“下岗”了。只不过，都做了父母了。他们都是些沉默寡言之人。我离开哈市时，仍分不清他们中几个人的名字。他们不与我多说什么，甚至根本就不主动与我说话。他们完完全全是冲他们与母亲之间那一种三十年之久的亲情，而为母亲守灵，为母亲烧纸，为母亲送丧的。三十年间，我下乡七年，上大学三年，居京二十年，我曾给予母亲的愉快时日，比他们给予的少得多。回到北京，我常默想——从今后，我定当以胞弟胞妹视待他们和她们啊！至于我自己的几名中学挚友与母亲之间的亲情，比三十年更长久，从我初一时就开始着了。那是世间另一种亲情，心感受之，欲说还休，欲说还休……

每独坐呆想，似乎有了一种答案——时时浮现过我眼前的画面中那一桶清澈的井水，是否便意味着是人世间的一种温馨亲情呢？母亲的母亲，给予在母亲心里了。而母亲只不过从内心里荡出了一些，便获得了多么长久又多么足以感到欣慰的回报啊！这么想很唯心，但请不要责怪儿子的痴思。

愿此亲情在我们中国老百姓间代代相传。

没了它，意味着是我们普通人的人生多么大的损失啊！

母亲我爱您。

母亲安息吧……

# 父亲与茶

父亲是从不饮茶的。

我想，他年轻时大约也在什么场合饮过几次茶的吧。当然，那天他肯定被失眠所折磨了，结果就畏茶如畏虎。

正如酒于父亲。

一九六三年冬季，春节前，父亲从四川辗转数千公里回到了家。

父亲回到家里时，双腿浮肿得一按一个坑，却那么高兴。

他将一个纸包递给母亲，叮嘱说："这是茶，在咱们东北是稀罕东西，哪天要分给邻居，放好，千万别沾水。"

一九六三年我已经十四岁了，还没见过茶，但从读过的小说里知道，茶是南方有身份人家待客的饮料。

第二天，父亲和母亲一块儿将茶分成十多份，一一用红纸包好。红纸是我替母亲买的，五分钱一张，母亲让我买了两张。母亲本是要用红纸亲手做拉花的，而父亲坚决主张用红纸包茶，说那才显得心诚。我在一旁裁红纸时，母亲一味絮叨些舍不得的话。母亲陪着父亲，挨家挨户将茶送给邻居，回家时都满脸高兴，我想那足以证明，收到茶的邻居们也是都很高兴的。初一上午，全院孩子们大串门儿。在我们那个大院儿，拜年首先是由小字辈开始的。

一户邻居家的大婶问我："除了茶，你爸还带回了什么好东西呀？"随口一问的话。

我说："还带回了五十多斤大米呢！"也是随口一答的话。

就见大婶和大叔交换了一次意味深长的眼神，那是一户和我家关系最好的邻居。

我当时觉得大叔大婶的眼神很奇怪。

初二晚上，和我家关系最好的邻居家的女孩来到了我家，将用红纸包着的茶原封不动退送给我家了。女孩代她爹妈说，她家没人喜欢饮茶，好东西别白瞎了。

在我看来，那是一件挺正常的事。几年也见不着一次茶的哈尔滨人，对待并不留下吃饭的客人的礼节分为三个等级——白开水、白糖水、红糖水。至于茶，其实并不比红糖水的规格更高，所以既然不喜欢饮，再给我家送回来挺自然的。女孩走后，父亲和母亲满脸困惑了。

父亲说："别是因为有什么事使人家不高兴了吧？"

母亲说："一向处得很好啊！"想了想，问我初一去拜年时说了什么不得体的话没有。我就将我在邻居家说过的话又说了一遍，因母亲之问感到冤枉。

父亲一拍脑门说："错！错！怎么没想到也送些大米给人家？"

一九六三年中国许多省份发生旱情，水稻严重减产。全哈尔滨市的居民，由每人每月二斤大米减少到了一斤。那女孩的姥姥姥爷都是南方人，他家的大米从来不曾为过春节攒下过。

母亲此时也想到了这一点，后悔极了，而父亲已搬出米袋子往一只盆里倒米了。

母亲说“行了”，父亲嫌太少，但母亲接着说出一句话，使父亲犹豫不决了。

母亲说：“只送给一家，其他几家不送，邻里间还不分出远近来了？再者，是人家把茶送回来了在先，咱们又送米过去在后，不是反而闹得双方都不尴不尬的？”

如果给每户邻居都送些米，哪怕一户二三斤，那父亲千里迢迢背回的米也就只剩一小半了。别说母亲多么舍不得了，连父亲也觉得像割肉，而我们几个儿女更舍不得。尽管，大米只不过是四川糙米！

米最终没送。

那包茶，母亲后来送给了别人家。

我们两家邻居的关系，并没因而出现裂痕，但两家的大人孩子，心里都留下了隐隐的不悦，只不过都尽量掩饰。

父亲临走时还埋怨我：“你说那么一句干什么啊？！”

从此，我与父亲天各一方，每隔多年才能同时与家人团圆，仅两个星期，并且通信也少，因为父亲只不过在“扫盲”运动中识过不多的字，我的信他若不请人读，自己是看不明了的。而父亲又必亲笔回信，仅一页纸而已，字体大且歪歪扭扭，夹杂着错别字。这使我每次给父亲写信，总是难免犹豫不决。

一九七一年，也是春节前，我从兵团回哈尔滨探家。那个冬季多雪而寒冷，父亲原本是准备与我同时探家的，却没成行——他在家信中写的原因是：“建设任务紧张，请不下假来。”

自从一九六三年我与父亲一别，我们父子二人已八年没见过面了，而母亲在八年中，已苍老成一个老太婆了。

母亲告诉我，父亲从四川寄回了一斤茶叶，信上说是花八元钱买的头季芽茶，要我在春节前按地址送给某人。那一年我已二十二岁，还没饮过一口茶水呢！父亲每月最多才能往家里寄四十元，自己又节俭得要命，都舍不得花几分钱买食堂的菜吃，一块腐乳下三天的饭，却居然用八元钱买一斤茶，千里迢迢地寄回来送人，我想父亲一定是欠了对方极大的人情。

那天，哥哥疯着，母亲关节炎很重，三弟也下乡了，四弟小妹没办过重要之事，那一斤珍贵的茶只有我去送了。在当年的哈尔滨，整整一斤四川的好茶，确乎算得上珍贵了。

“动力之乡”在郊区，我家离那儿有三十多里，且交通不便。当年是没有什么出租车的，我先乘公共汽车到了郊区某站，下车后开始步行。由于那一段公路来往车辆少，一尺多深的积雪尚未被压平，我一脚一个雪坑走了二十来里，才终于到达“动力之乡”。在那一带，样式一律的平房和楼群左一片右一片，此片彼片相距挺远。父亲寄给家中的地址上仅写了第几工人宿舍区第几排第几号，而那是根本不能将茶送到的。因为当年的“动力之乡”，是由三个大厂组成的。每个厂又分干部宿舍区和工人宿舍区，多数干部住楼房，多数工人住平房。这些父亲都没写清楚，我忽东忽西奔走了一个多小时，也没打听出个结果，最后只有气喘吁吁地站立在冰天雪地之中，望着一栋栋高楼、一排排平房，沮丧极了。

到家时，天已黑了，而我将一斤好茶丢在公共汽车上了。

当母亲听我说非但没将茶送到，还将茶丢了，眼神呆呆地望着我，整个人被定身法定住了似的。

许久，母亲才缓过神来，惴惴不安地说："这可咋办？这可咋办？我猜你爸肯定是遭遇到了特别为难的事，急着求人帮忙化解，不然会舍得花八元钱买一斤茶送人？你知道的，你爸他可是万事不求人的性格啊！这可咋办？儿子这可咋办啊？由谁写信告诉你爸实情呢？咱们总不该撒谎骗他吧？"

父亲的性格我当然清楚，母亲的猜想也正是我的猜想，当然告诉父亲实情才是唯一正确的做法。

我对母亲内疚地说："妈，别急成这样。急也没用，由我写信告诉我爸。"

因为那一斤茶的丢失，一九七一年的春节，我们全家谁都过得高兴不起来。八元钱一斤的四川好茶也只不过是茶，我们和母亲高兴不起来的主要原因是一种大的担忧——父亲他究竟遭遇到了什么事，使他这个从不求人的人非求人不可？

回到连队，我才给父亲写信。我在信中实话实说，承认那包茶被我丢失了，接着用一大段文字细写我寻找地址上的人家多么多么不容易，我认为那种客观原因也是必须让父亲了解的。再接着，批评父亲粗心大意，自己应该将地址搞详细了嘛。最后，询问父亲究竟遇到了什么为难的事，是否超出了自己克服不了，非求人相助不可的程度？如果并没超出，那么还不如自己迎难而上克服过去为好。那些话，反倒有一种儿子教训父亲的意味。

一九七一年整整一年内，父亲没回信。我明白，我伤了父亲的自尊心，他生我气了。

转眼到了一九七三年夏季，我又一次探家，而父亲也终于与我同时探了一次家。那一年是我下乡的第五个年头，屈指算来，我与父亲整整十年没相见了。

父亲已秃顶。我印象中那个身体强健的父亲，变成了形销骨立的老父亲，两眼却还是那么炯炯有神。也唯有此点，仍能显出他倔强又正直的老工人的性格。

父亲又带回了一斤好茶。

他要亲自将茶送给据他所说的“一个好人”，但他出示的地址，还是两年前使我白辛苦了一次的地址。

我说按照那个地址他肯定也会白辛苦一次，他却一意孤行，没法子，我只得相陪而往。

一路上，我和父亲都矢口不提两年前被我丢失了的那一斤好茶。我也没因两年前写给父亲那封信而向父亲认错，因那么一来，就会提到那一斤被我丢失的好茶。而父亲也没解释什么，更没训我，仿佛两年前我们父子之间根本没发生过什么不愉快的事。

我和父亲用了更长的时间寻找“一个好人”的家，却没找到。那天很热，我和父亲心里同样着急，我们父子俩的衣服都被汗湿透了。回家的路上，我忍不住埋怨了父亲几句，惹得父亲光火起来，站在路旁冲我吼：“我是你父亲！我做什么事自有我的道理！你不埋怨我不行啊？”

我也冒火了，大声顶撞：“我哥哥生病了，我已经是家里实际上的长子，你究竟遇到了什么事不必也不应该瞒我！我有权知道！”父亲气得举起了巴掌，几乎就要扇我一耳光。

团圆的日子里，父亲一直生我的气，到他回四川的前一天，他的气才终于消了些。我往列车站送他时，他没头没脑地说了一句："到该告诉你知道的时候，当然就会告诉你。但也许，一辈子都不告诉你，也不告诉你妈，更不告诉你弟弟妹妹！"

父亲将他带回的一斤茶又带回了四川，怕留在家里，母亲收藏得不好，糟蹋了。

他的话，使我心怀不安地离开了家。

一九七七年春节前，我从北京回到了哈尔滨。当时，我已经是北京电影制片厂的一名编辑，而父亲已经退休了。父亲是六十三岁才退休的，因为家中生活困难，单位照顾他晚退休三年。

雪后的一天，父亲命我陪他将他再次从四川带回的那斤茶给他所言的"一个好人"送去。那斤茶，第一次带回哈尔滨时是绿的，再次被父亲带回时，已是褐色的了。父亲舍不得一次次花钱买，请四川茶厂里的茶工将那斤茶焙成了干茶，那样就容易保存了。我提醒父亲："如果还是原先那地址，不去也罢。明明找不到却非去，何必呢？"

父亲表情深沉地说："有新地址了，现在的地址确切无误，今天咱们一定会找到他。"

路上，父亲告诉我，"文革"开始不久，他这名获得过许多奖状的老建设工人，竟被不知何人写的一封信揭发成了"伪满时期"的"汉奸特务"。因为父亲会说几句日本话，档案里又有在日本药店当过小伙计的记载，所以造反派们对揭发深信不疑。

"他们将我两条胳膊反吊起来拷打我，像当年的日本人拷打咱们抗日的中国人一样，不但逼我承认是汉奸特务，还逼我揭发别的汉奸特务。我横下一条心，诬陷我的事，打死我也不承认……”父亲讲得很平静，我却听得惊心动魄——那是我这个“红五类”的儿子根本想不到的事。

我心疼地低声说：“爸，其实你当时承认了也没什么。好汉不吃眼前亏啊！”

父亲说：“那不行，我如果承认了，你一九七四年还能上大学吗？我如果承认了，咱们家不就一下子变成‘黑五类’家庭了？你们能一下子承受得住日后的种种歧视吗？我如果承认了，继续逼我揭发别人，那我又该怎么办？所以当年我只能横下一条心，诬陷在我头上的事，打死也不承认。”

父亲的话使我的眼泪顿时夺眶而出。

我和父亲并没再去“动力之乡”，父亲引领我来到了近郊的一处公墓。在一块木碑上，刻着“一个好人”的姓名。父亲说：“就是他，咱们山东的一个人，也是我十七岁那年到东北以后，给过我许多爱护的人。当年是他介绍我到一家挺大的日本药店去做小伙计的，而我经常向他汇报日本人尤其日本军人到药店去开药的情况。当年我就猜到了他是抗联的人，新中国成立后他当上了一个县的武装部部长。‘文革’中，四川的造反派来到哈尔滨向他搞外调，巴不得由他证明我千真万确曾是‘汉奸特务’。那时他自己也进了‘牛棚’，但他将那些造反派顶得一愣一愣的。他说，你们想要从我这儿得到证言的事，完全是胡说八道！所以，造反派们才不得不结束对我的隔离审查，你才能够顺利地上了大学，咱们家才没成为‘黑五类’家庭。其实，我也不知道他有没有喝茶的习惯，但我总得表达一种心意吧！除了茶，我也再没什么更好的东西值得从四川带回来送给他啊！”

父亲将那包从四川带回来又带回去退休后再带回来的茶和一瓶白酒，恭恭敬敬地放在坟前。

我说：“爸，这么放这儿不行，会被看到的人拿走的。”

不由自主地，我跪下了。

我将白酒浇在茶包上，用打火机将茶包点燃了。我和父亲一样，既是一个不喜欢喝酒的人，也是一个不喜欢饮茶的人。

父亲已于十几年前去世了。

如今，茶已成了中国人之间普遍送来送去的见面礼，而且包装越来越考究，甚至到了不必要的极其奢华的程度。

而今天，我时常回忆起父亲与茶、我们全家与茶的那一段往事……

第二辑

# 兄长

# 黑纽扣

## 一

今年五月，我完全是被长久萦绕心间的乡思所驱使，回到了哈尔滨。七年没回去了，七年没见老母亲了。

弟弟、妹妹、弟媳和妹夫们都还未下班，家中只母亲一人。母亲正做晚饭。狭小的厨房没窗子，一盏度数很低的灯卑微地忽闪着——电压不稳。灶烟和锅汽形成厚重的昏暗。昏暗中，母亲双手抖抖地端着米盆，像烟汽中的一个虚影，木然地望着我。显然，母亲一时看不清我的脸。

我大声说："妈，是我回来了！"心中竟很激动。

"是……绍生吗？"母亲从来只叫我小学时的名，这名是户籍警在我诞生的时候按照氏族辈字给我起的。母亲从来也没叫过我上中学后自己改的名——晓声，仿佛她不喜欢这个名，不认可她的儿子叫这个名。我不知这是为什么，也没诘问过。

"妈，是我！"一回到家中，自己说话的语调就很自然地归复了东北口音，连我自己都感到奇怪。

“哦，哦……”母亲转过身去，想找个放盆的地方。

我走进屋，刚搁下提包，母亲便跟入了，双手仍端着米盆。厨房极乱，母亲大概是没处放盆。

我赶紧从母亲手中接过米盆。里屋并不比厨房大多少，也不比厨房光明多少，只有一张桌子可放东西，桌子上同样杂乱地堆放了许多杯、碗、小孩儿玩具。三对夫妻，三辈人，十一口，生活在仅二十余平方米的低矮而阴暗的空间，有条不紊和清洁就只能成为一种奢望了。我原地转了三百六十度，最后将米盆暂放在床上。

“你……怎么也不预先来封信，我们也好把家收拾干净点……”母亲歉疚地说，目不转睛地端详着我。

母亲是更瘦小、更憔悴、更苍老了，脸色很不好，蜡黄里泛着青灰。眼病分明没治愈过，眼边红红的。衣服也挺肮脏，衣襟上一片锅底灰。整个看去，母亲像一截枯槁的树根，从泥土中抠出来不久。

我又叫了一声“妈”，心内倏然泛起难过，喉间像被什么东西哽住，说不出话。母亲一共养育了我们五个子女，我算是有点出息的——成了作家，我是母亲精神世界中的一豆烛光，是母亲心灵的安慰。可我身在北京，又是对母亲尽孝最少的一个儿子，甚至可以说，自从我到北京后，就没有对母亲尽过一个儿子的孝道，只不过隔几个月往家中寄点钱。

“孩子，你瘦多了……别那么拼命写，妈不指望你出名，只愿你身体好，没病没灾的……”母亲说着，侧过身，撩起肮脏的衣襟拭她那发红的眼角。

“妈，我不过就是瘦一点，可没什么大病……”我用谎话欺骗母亲。

我努力克制着，不使自己在母亲面前落下泪来。

“真的？……”母亲转身再次注目端详着我。她长长叹了一口气，然后低声说，“你这次回来，一定要去看看你小姨。”

我说：“过三五天我就去看她。”

母亲说：“不，你明天就要去看她，她……怕是没多少日子可活了……”

我不禁呆住了。

母亲又说：“你弟弟妹妹都去看过她了，连你妹夫也去看过她了。可她最想念的还是你，每次来信都提你……苦命女人，妈的命够苦了，你小姨比妈的命还苦……”

“小姨……她得了什么重病……”小姨才四十多岁，我简直有些怀疑母亲的话，讷讷地问。

“三月份，你弟弟妹妹们把她接来家中住了一个时期，轮流陪她到医院去检查过，也没查出什么大病来。可她就是一天比一天瘦，不想吃也不想喝的，人瘦得快剩把骨头了……人啊，就怕是苦在心里啊！同学老师的，你都不要先去看，明天一定要先去看你小姨。”母亲异常忧郁地说。

我轻轻“嗯”了一声。

可怜的小姨！可怜的女人啊！

一种凄凉一种悲怆，在我内心里弥漫开来。

我装作疲乏的样子，倒在床上，眼眶竟有些湿润了。近几年来，还没有一件事，比这件事更令我感到难过。

## 二

我本来没有姨，小姨不是亲姨。

我七岁时，母亲在铁路上做临时工，挑挑抬抬，搬石运铁，卸煤扬沙。哪儿的活顶脏顶累，临时工们就被指派到哪儿去干，男女平等。母亲每天下班都很晚，常常是黑着一张脸，带着一身尘土回到家里。

那时我们家还没有搬到“偏脸子”这一带，住在安平街。房子，比现在住的还小，还破，还缺少光明。屋里的地面，要比外面的地面低一尺。为了防止下雨天雨水灌进屋来，门槛儿上面横钉了一块木板，进屋的人得高抬脚。门槛儿内叠了两层碎砖，算是踏脚的台阶。第一次来我家的人，不是头被上门框撞起了包，便是踩空“台阶”，吓一大跳。虽然有窗子，但一半埋入了地下。窗框被下沉的房子扯得不成形状，无法打开。碎了的玻璃因为窗框无形，也就镶不上，用牛皮纸糊着。这是私人房产，房东并不因它全不像个房子样就将房钱压得便宜些。里外两间，外间夏天做厨房。冬天为了取暖，再将铁炉子搬进里屋去，我们五个孩子和母亲挤在里屋一铺炕上，外间便放大白菜、土豆、萝卜、水缸、粮食箱子、劈柴和煤桶，也就没余地了。

记得是冬季的一天，从白天到黑天，一直下着很大的雪。母亲那一天下班特别晚，带回来一个陌生人。

母亲的脸，照例是黑的。“低头，高抬脚，慢点落脚，再慢落一脚……”母亲先进得屋来，引着这人的一只手，提醒着，将这人引进屋来。亏得母亲心细，这人没被碰了头，也没被吓一跳。那人的脸比母亲的脸更黑，因而看不出年龄。从脸黑这一点却不难得出肯定的结论，那人是和母亲同样做临时工的，和母亲一块儿卸过煤。头戴和母亲同样的狗皮帽子，身套和母亲同样长过膝盖的大棉坎肩儿，脚穿和母亲同样的棉胶鞋。

母亲从炕上拿起笤帚，一边扫落那人身上的雪花，一边说："你瞧，我家就是这么个破烂样子，这几个都是我的孩子……绍生，快给我们倒洗脸水……"

那人的黑脸上唯独一双眼睛是干净的，眼神儿有点怅惘，有点拘谨。他一动也不动地站在门口，分明因为我家比他想象的还不如，一时有些不知所措。

我舀了大半盆凉水，轻轻放在他脚旁。

他见屋里没个能从容洗脸的地方，就一声不响地端起盆，转身走到外屋去了。

母亲便也摘下帽子，脱掉坎肩儿，跟到外屋去洗脸。

母亲又进屋来舀了两次水。

我们几个孩子，则在里屋面面相觑，彼此交换着惊奇的目光。

终于，母亲和那人又走进屋来了。

我们的惊奇顿增十倍。"他"竟是女的，一个大姑娘！

我们家住的那地方，当时被铁丝工厂占了，新盖起一幢三层楼房。邻居们都迁走了。因为房东想多要钱，在斤斤计较地和厂方要赖皮，高楼下仅剩我们家东倒西歪的破房子，四周被还没有清除的建筑垃圾包围着。邻居们迁走后，已经好长时间没有外人迈进我们家的门槛儿了。没有人串门儿的家，对孩子们来说，是异常冷清寂寞的家。我们家在哈尔滨市又没有任何亲戚互相走动，生活的冷清寂寞就更令我们难耐。我们幼小的心灵里是早都在巴望着，随便有个什么人，能够知道在这座城市里，在这幢高楼后面，在一堆堆建筑垃圾的包围之中，有我们一家人生活着。只要这个人看得起我们，我们就会将我们全家真挚的、充满敬爱和感激的情意奉献给这个人。这大姑娘那一天变戏法似的突然出现在我们面前，不但令我们惊奇，而且令我们非常高兴。

她长得很俊美呢！起码我们是这么认为的。她将那件脏而笨重的棉坎肩儿脱在外屋了，也脱去了工作服，向我们展出一件半新的红底儿黑花的紧身小袄。她比母亲高半头，这在女人们来说，是很值得羡慕的所谓“适中”身材了。虽然穿着棉袄棉裤，还是看得出，她的身材苗苗条条，不胖也不瘦。也许是刚用凉水洗过脸的缘故吧，使她的脸色看去那么红润。眼边的煤灰却是未洗尽，一双温良的眼睛仿佛描了眼圈似的，显得又大又有神。

在我和弟弟妹妹眼里，她完完全全是个大人，而她这个大人，看上去也不过十七八岁。弟弟妹妹们一溜趴在炕上，傻呆呆地瞪眼瞧着她。

在我们不懂礼貌的盯视下，她有些发窘地侧着身，双手攥着搭在胸前的一条粗辫子，轻声问母亲：“大姐，有木梳吗？”

“有，有……”母亲应着，赶紧拉开破桌子的抽屉，寻找出我家中唯一一把断了好多齿的木梳。

她接过木梳，就拆散了辫子，梳起头发来。

“里边趴着去！就这么一张炕，都让你们趴满了！”母亲对着弟弟妹妹们吆喝。

于是弟弟妹妹们就一堆儿缩到炕角去了。

“坐炕沿上梳吧。”母亲轻轻地将她推坐在炕沿上。

我低声问：“妈，我给你们热饭吃吧？我和弟弟妹妹们都吃过了。”

母亲说：“我自己热吧。挑两棵白菜，洗一个萝卜，我做汤……”

母亲看了那大姑娘一眼，挨着她坐在炕沿上，推推她的肩膀，问：“你怎么不说话？”

她只是一下一下地梳着长发，也不抬头。

母亲又说：“如果，你是嫌弃我这个家，今晚我就只留你住一宿，明天我再替你想想办法，看能不能找个好住处安身……如果，你还肯将就我这个家，你就长久地住下来，住多久我也不会撵你搬走。有我吃的，就有你吃的。有我盖的，就有你盖的……”

她还是不吭声，还是不抬头。木梳，在乌黑的长发上缓缓地梳理着，将她那长发梳得顺溜儿极了。

我们见她这样子，都觉得大大的失望，猜想她准是不愿在我们这样一个家里长久住下。

我一边扒白菜洗萝卜，一边偷眼瞧那大姑娘，真希望她说一句“我住下”，或者点一下头。

她却像个哑巴，头垂得更低了。

母亲见她始终不回答，表情就有些尴尬，便缓缓地站起身，去切菜。

“大姐，你每月收我多少房钱？”她忽然抬起头，用极小的声音向母亲发问。

“瞧你问的，什么房钱不房钱的？”母亲停止了切菜，转脸瞧着她说，“房子不是我的，我能做二道房东吗？你要愿住下，我一分钱也不收你的！”

那张我认为非常之俊美的脸上，花朵绽放般地呈现出了一种心喜意悦的微笑，她复低下头说：“那……我愿长久住下……”仍继续梳头。

母亲乐了，说：“不过，孩子们面前，总得有个叫法。你叫我大姐，你年纪跟我的小妹子一般大，可惜我那小妹子死了。今后，就让孩子们叫你小姨吧？行吗？”

“嗯。”像个表示今后愿意听大人话的孩子的声调。她放下了梳子，开始编辫子。

母亲又对我们说：“都听见了吗？今后要叫小姨！”

“小姨！”弟弟妹妹们迫不及待异口同声地叫起来，几只猫崽子似的爬到她身旁，一迭声地叫“小姨”。

她半转过身，瞧着我们，又那么可爱地笑了。

我仿佛觉得我们家那小破屋子顿时满室生辉。在一片“小姨”的叫嚷声中，我那颗七岁的男孩子的心，竟充满了莫名其妙的激动和兴奋！从今往后我将有一个小姨了！并且是一个多么让我喜欢看着的小姨啊！我那把木头做的、涂了墨的驳壳枪，我那一小箱子小人书，我那十几颗花瓣玻璃球，我那只养在一个桌子抽屉里的小麻雀，所有我一切的宝贝东西，都抵不上这个小姨！我们与家庭成员之外的一个人建立了某种亲近的关系，这简直是生活对我们的赐予！

三

以往，母亲下班后，若是我们已经吃过了饭，她是绝不再动手做饭的，只胡乱吃几口我们给她留的饭就算了。那一天，虽然母亲下班很晚，虽然我们都看出她很疲劳，但她还是撑着精神，将两棵白菜细细地切了，拌了一盘。将萝卜同样细细地切了，做了小半锅汤。还抖尽了面口袋里的白面，放许多油煎了几张饼——母亲是从来舍不得一次用掉那么多油的。看得出，小姨和母亲一样，是个干起活来不藏奸不掖懒的，要不她们为什么会把那一大盘拌白菜吃得干干净净，将那半锅汤喝得精光呢？

母亲和小姨吃罢饭，我默默收拾了碗筷去刷洗。我心里高兴，便会主动去做我不情愿做的事。小姨要抢着刷洗。母亲拦住她，说："往后有你插手的时候，今天还不能劳大驾！"

小姨无声地笑了。我真是看不够小姨的笑脸，她笑起来真叫别人感到快乐！

母亲又说："你今晚就和我挤一宿吧，明天把外屋收拾收拾，给你搭个铺。"

小姨微微点头。在我们眼中，她是个大姑娘，是个大人。在母亲眼中，她分明还是个小妹子，是个孩子，她在母亲面前显得那么乖顺。

母亲开始铺被窝儿，弟弟妹妹们都自觉地往一块儿挤，给我们的小姨腾出倒身之处。家里的被子都很旧了，白被头也都很脏了。母亲很勤劳，几乎每隔一个月就拆一次被褥，但仍不能使全家的被褥显得干净些。因为炕是脏的，炕脏因为三面炕墙是脏的，每天不知要往下掉多少墙皮。还因为我们的小身体一个个都是脏的。夏天，我们身上还能干净些，母亲常常将大盆放在外面，倒一大盆水给我们脱光了衣服洗澡。而整个冬季，我们是谈不上洗澡的。弟弟妹妹们毕竟都很幼小，一个个完全沉浸在意外获得了一个好看的小姨的幸福之中，并不为脏被褥感到羞耻。已经七岁了的我，却感到自己的脸发起烧来。羞耻感第一次在我的自尊心上打下了烙印，它不深也不浅。

我兑了半脸盆温水，放在小姨脚边，很礼貌地对小姨说："小姨，请你洗脚吧！"

"呀！……"小姨仿佛吃了一惊地看着我，又看着母亲。

母亲也说："你洗脚吧。"

小姨几乎是在恳求地说："我哪能成个小姐似的，都让孩子把洗脚水端到眼皮底下呢！大姐你一定得跟孩子讲，往后千万别这么样恭敬我啊！"

母亲平淡地一笑，说："谈得上什么恭敬呀，孩子不过是得了你这么个姨，从心里往外亲爱着你罢了，你看不出来？"

小姨说："大姐我又不是木头人，哪能看不出来呢！"又端详着我问："上学了吗？"

我回答："上了。"

"几年级？"

"刚上一年级。"

"那小姨往后可以帮助你学习了，小姨是高小毕业呢！"那美好的微笑中洋溢着几许自豪。

我也不禁笑了，说："行。"

母亲接言道："我们绍生学习可用功啦，是两道杠呢，考试还得了奖状呢。”

“你是该好好读书啊，你爸爸在外地工作，你妈妈一边干临时工，还要拉扯你们长大，不好好学习可对不起你妈呀！”

我默默地点了一下头。

小姨又对母亲说：“大姐，你可真不容易啊！”

母亲长长地叹了口气，“可不，真不容易啊！有时候我心里都觉得活得疲倦了呢！”

我一声不响地退到炕角，从书包里拿出课本，脱了鞋，默默地贴墙躺下，朝墙转过身去，捧着课本看。

母亲催促小姨：“洗脚吧，今天整整卸了一天煤，可是够累了啊！”

小姨说什么也不肯先用那盆洗脚水，到底还是母亲先洗过了，她才洗。洗完，却仍垂着赤脚坐在炕沿上，迟迟不上炕脱衣。

母亲又催促。

小姨说：“我侄子看书呢！”

“我不看了。”我说着，将课本塞到枕下。

若是往常，我和弟弟妹妹们一钻进被窝儿，顷刻便会进入梦乡，但那一天，我们却毫无睡意。我竟也和弟弟妹妹们一样，趴在被窝儿里，目不转睛地盯着小姨看，看也看不够。

母亲再次催促小姨睡觉。

小姨低下头去，悄悄地说：“大姐，等孩子们睡着了我再……当着这么多小侄子的面……怪羞人的……”

母亲逐个儿拍着我们的脑袋，大声命令：“闭上眼睛，闭上眼睛！都给我闭上眼睛睡觉！”

我们这个闭上了眼睛，那个又睁开了眼睛，对这个小姨所感到的新奇，简直就使我们兴奋得无法入睡，仿佛生怕睡一觉醒来，小姨就不存在了。

“这些孩子，真不听话！”母亲佯装生气，看了小姨一眼，忍不住扑哧乐了，顺手拉灭了灯。屋里顿时伸手不见五指。黑暗中，只听到小姨缓慢脱衣服的声音。

沉静了片刻，又听小姨和母亲悄悄说话：“大姐，和咱们一块儿干活的那几个男人忒坏，总拿些入不得耳的话挑逗我。”

“你别理他们就是了。你越当真，他们越开心！没一个好东西！”

“我也不敢生气，怕得罪了他们，他们今后欺负我。”

“别怕他们，谁敢欺负你，大姐饶不了他！别看你大姐是个老实人，但不受人欺。你是我妹子，欺负你就是欺负了我……”

就这样，小姨在我们家中住下了。就这样，我们有了一个不是亲的，可比亲的还亲的小姨。

## 四

往后我才从母亲口中断断续续知道，小姨不但是个高小毕业生，还是个共青团员。她是离哈尔滨一百多里的双城县农民，家里生活也挺困难的。听别人说哈尔滨在招青壮临时工，就独自一人到哈尔滨来了。在搬到我们家之前，她每晚都在火车站过夜。

我们因为有了这个小姨，都有了许多明显的改变。首先是，我们不再房前屋后乱拉屉屉了，小姨帮我们在附近搭了一个简陋的茅厕。我们也变得爱清洁了，因为小姨很爱清洁。我们将两只破箱子从里屋的铺底下拖出来，搬到外屋，一头一只，当作床腿。黑夜我和母亲从外面拖回来两块建筑工地上抛弃的跳板，截断后，为小姨在外屋搭了一张很牢靠的“床”。白菜萝卜堆到了“床”底下。外屋四处透风，墙上挂着厚厚的霜。我和弟弟妹妹用锅铲将霜刮下来，又用破棉团塞进透风的缝隙。我们怕小姨晚上睡觉冷，还将火炉从里屋搬到外屋。在间壁墙上凿了个洞，增加了两节烟筒，穿到里屋去。这样一来，里屋不但同样暖和，而且显得宽敞了。小姨没住到我家时，母亲想不到也没心思做这些事，我这个孩子更想不到。小姨住到我家后，我并未经母亲吩咐，却想到了应该做许多事。这一类事情做过后，我们的家也像我们一样有了些微改变。

春节前一个月，母亲忽然变得好像有什么心事。一天，母亲背着小姨偷偷对我说，她是怕爸爸春节回家探亲，会因为家里住了一个陌生女人而不高兴。明白了母亲的心事，我也暗暗为此忧愁。父亲是绝不需要一个小姨的，他不发脾气才怪呢！

母亲让我给父亲写了一封信，信中告诉父亲家中一切都很安好，并且希望父亲春节不要回来探家，夏天再回来，讲了好几条夏天探家比春节探家好的理由。

小姨自然不知，几乎天天都问母亲：“大姐夫什么时候回来呀？”

母亲就说：“今年春节回不回来探家还不一定呢。”

“大姐，你快写封信，催我大姐夫回来探家吧！大姐夫不是两年多没探家了吗？你就不想？”

母亲淡淡地说：“不想。”

小姨笑道：“大姐骗人。就算你不想，孩子们也不想？”

母亲说：“也许孩子们早把他忘了呢！”

弟弟妹妹们一听，抗议地嚷起来：“没忘，没忘，我们早就盼着爸爸回来探家呢！”

母亲便不再说什么。

父亲果然回信说他春节不探家了，我念完信，弟弟妹妹们都哭闹起来。我和母亲互相望着，默默无语。我的心情和母亲是一样的，既觉得心中安定了，又觉得很内疚。

小姨则谴责起父亲来：“哪有这样的人，两年多没探家了，孩子老婆一大堆，说不回来就不回来了！大姐，我替你写封信问问他，他心里到底还有没有这个家啊！”

母亲则装作生气地说：“才不给他写信！他心里没这个家了，我们心里从此没他！”

小姨的父亲，一位老实厚道的庄稼人，从农村到城市来找小姨，想带小姨回去过春节。小姨不回去，她对父亲说：“这个春节是我和大姐认识后的第一个春节，大姐夫又不探家了，撇闪得大姐和孩子们多冷清啊！这个春节我一定要跟大姐和孩子们一块儿过。”

小姨的父亲在我家住了两天，不好勉强小姨跟他回去，失望地走了。他临走，对母亲说他把小姨托付给母亲了。

我们的父亲虽然没回来探家，我们却过了一个很快乐的春节，快乐是小姨给予我们的。

我们也送灶王了，也供祖宗了，也吃年宵饺子了，也放鞭炮了，小姨还帮母亲炒了好几样菜，买了一瓶价钱便宜的色酒。

吃年宵饺子的时候，母亲在桌上多摆了一只小盘，一双筷子。

我说："妈，多了一个人的。"

母亲说："不多，那是你爸爸的。你爸爸已经好几年没和全家在一起过春节了，就当这个春节是他和我们一起过的吧！"

小姨看了母亲一眼，就斟满了两盅酒，一盅递给母亲，另一盅双手端起，对母亲郑郑重重地说："大姐，你替我大姐夫喝这一盅，大姐夫，我敬你一盅了！"说罢，一口喝干，顷刻脸红得桃花似的。

母亲也一口喝干……

## 五

春节一过，天气渐渐暖了。转眼到了四月份，我们的日子不好过了。与我们一家共同生活的，除了小姨，还有一个无法计数的庞大家族——臭虫家族，它们是靠喝我们的血繁衍子孙后代的。我和弟弟妹妹被咬得夜夜在炕上翻滚，身上被咬起了一排排一片片的大疙瘩，小妹被咬得夜夜哭闹难眠。我苦中寻乐，编了个谜让小姨猜：

○

日落西山黑了天，

红孩妖精上了山，

有心想吃唐僧肉，

猪八戒的耙子挠得欢。

○

小姨显然是猜着了的，但并不说破，只像个医生似的，用棉花团蘸着盐水，给弟弟妹妹们擦身上的疙瘩。

小姨叹了口气，对母亲说："大姐呀，孩子们被咬得太可怜了，得想个法子呀！"

母亲用心疼的目光望着我们，说："想了许多法子，就是治不住啊！"

第二天，小姨托病没去上班。母亲走后，小姨对我说："跟我去，去办点事儿。"

我也不多问，就跟小姨离家了。

小姨先领我到储蓄所，从她的存折上取钱。

储蓄员奇怪地说："昨天刚存，今天就取！"

小姨说："有急用。"

"二十元都取了？"

"都取了。"

……

接着小姨又领我去租了一辆手推车，然后我推着车跟她到了杂货市场上，买了两个草垫子。

回到家里之后，她又亲自到工地上去要了一桶电石灰。然后，小姨指挥我们，将破烂家具都从屋里搬出，她就动手泡电石灰，并在电石灰中搀了好几包"六六"粉。我要帮她忙儿，她不许，怕烧坏了我的手。

小姨独自用块旧布缠了一柄“刷子”，将里外墙壁细致地刷了一遍。又烧了几大壶开水，往破家具的缝隙里浇。

母亲下班之前，我们已将家又收拾好了，炕上也换了新草垫子。由于墙壁潮湿，许多处刷过之后，不是变白了，而是变黄了，像一块块难看的黄斑。小姨真有主意，又跑到商店去买了好几张画，贴在那些地方。母亲下班后，一进家门，竟呆住了，半晌说不出话。

小姨的双手都被烧起了许多大泡，她瞧着母亲抿嘴笑。

母亲要给小姨买草垫子的钱，小姨说什么也不收。

母亲说：“你积攒点钱不容易，家中还有老父母的，你得收下！”

小姨生气了，说：“大姐你要逼我收下，我就搬走了！”

母亲只好作罢。

母亲擎着小姨烧伤的双手，簌簌地落下了眼泪。

那一夜，我们睡得十分香甜……

## 六

过了“五一”，天气更暖和了。一冬天泼的脏水，在房前屋后的垃圾堆上结了一层层的脏冰。白天，被太阳晒化了，从垃圾堆上淌下来，不但泥泞了道路，还散着难闻的气味。

一天晚上，小姨背着双手，对母亲说：“大姐，你猜家里给我寄啥来了？”

母亲问："是鞋吧？"

小姨摇头。

母亲想了想，又问："衣服？"

小姨说："大姐你要总往穿的上想，永远也猜不着的！"

母亲笑了："那是吃的东西？"

"也算是吃的，可马上吃不成啊！"小姨笑了将双手伸向母亲，"是菜籽，还有花籽呢！"就将手中的小布袋朝炕上倒，一小纸包一小纸包地排开，一边说，"瞧，这是小白菜籽，这是菠菜籽，这是油菜籽，呀，还有黄瓜籽和豆角籽呢，大姐你再看这些是花籽，扫帚梅、月季香、指甲花……十多种呢！"

母亲问："你们家怎么想起给你寄菜籽花籽来了！往哪儿种哇？"

小姨回答："我写信叫家里寄来的，我要和侄子们改造那些垃圾堆！"

母亲说："亏你还有这份心思，到底是个姑娘的心！"

小姨说："人活着嘛，就得想着法儿让自己活得舒畅！"

第二天是星期天，小姨带领我们，平整了那几座垃圾堆，一畦畦一垄垄地种菜种花。

过了不久，那几座垃圾堆都变成绿色的山冈啦。

到了七八月时，豆角黄瓜已爬架子，花也开了。我们家那小破土屋的前后左右呀，就像座小花园似的了，红是红，绿是绿，紫是紫，黄是黄，五彩缤纷，赏心悦目极了，美丽极了。招引来了蝴蝶和蜻蜓，也招引来了铁丝厂里的女工们。她们三五成伙地在午休时和下班后来看花，要花。小姨很慷慨，对谁都满足，博得了那些女工们的好感。

怎么两个女人，带着几个孩子，仿佛被与城市隔离了似的，在高楼后边，在小小的破土屋里，竟会生活得这么有情有趣的呢？

那些女工们常常面对我们的花园发出这一类感叹。

每天晚上，我和弟弟妹妹们再也不囚在屋里了。垫块木板什么的，围坐在母亲和小姨身旁，听两个我们在这世界上最亲最亲的女人说话。欣赏着我们的绿，我们的花，我们的美丽，我们的“大观园”。我们几乎都没有享受过什么美好，而我们面对的美好，是一个农村姑娘，是我们的小姨带给我们的。在沁人心脾的馥香中，在生机勃勃的五彩缤纷中，我们弱嫩的灵魂体会着某种悟性，进行着幼稚而严肃的思考，思考着什么是人世间的美好，什么是感激，为什么需要感激……

在那种时刻，我更加认定，小姨是我所见过的、最美的女人。

小姨和母亲谈得最多的话题，是“转正”两个字。还会有什么别的话题，会比“转正”更使两个做临时工的女人入迷呢？小姨和母亲几乎无时无刻不在向往转正。这种向往常使小姨喜形于色，常使母亲脸上洋溢出少见的对生活满怀信心的光彩。我知道——转正，这是小姨和母亲共同的幸福。

有天傍晚，我坐在小姨身边，伏在小姨膝上，摆弄着小姨的长辫子，拆开，编好，编好，拆开，觉着怪好玩的。

母亲望望我，又望望小姨，叹了口气，说：“我长这么大也没捡过什么，想不到如今捡到的比金子还贵重。”

小姨孩子般天真地问：“大姐你捡啥好东西了？快告

诉我！”

母亲说：“我给自己捡了一个妹子，给孩子捡了一个小姨啊！”

小姨注视了母亲良久，忽然偎依着母亲，低声说：“大姐，我保你捡到了，就再也丢不了啦！”

母亲低声道：“你嘴上这么说呗，你还能在我家住一辈子？今后就不结婚，不成家了？”

母亲又训斥我：“真不懂事，老大不小了，还装孩子，一边玩去，别赖在你小姨身边！”

小姨光是笑。

我脸红了，不好意思起来。小姨却用一条手臂轻轻搂住我的脖子，不放我离去，说：“绍生，你长大了，考上大学，将来当了干部什么的，不会不认小姨吧？”

我大声回答：“我要不认小姨，天打五雷轰！”

小姨咯咯大笑起来，母亲也忍俊不禁地笑了。

我觉得小姨的手臂是那么柔软，我心里默默地说：“小姨，小姨，我有多爱母亲，就有多爱你！”不由得将脸贴在了小姨的手臂上……

一天，母亲和小姨下班后，都闷闷不乐。原来，小姨转正了，而母亲却因为精简临时工，被打发回家，第二天就不准上班了。看得出，母亲心中很难过，很失望，自尊心也受到了很大的挫伤。我心中也很难过，很忧郁。穷困的生活使我懂事早，知道母亲失去了工作对家庭的生活意味着什么。

小姨对母亲说：“大姐，你太老实了！你哪天干活比别人干得少了？那么多藏奸掖猾的人都转正了，为什么偏偏一句话就把你打发回家了？这不是明摆着欺负人吗？我明天替你找他们讲理去！不让你转正，我也不干了！”

“我不许你为我去抱这个不平！”母亲很严厉地说。母亲还是头一次用那么严厉的语气对小姨说话。

小姨呆住了，怔怔地瞧着母亲。

母亲缓和了语气，又说：“傻妹子，你从农村到城市来，好不容易找到个工作，如今又转正了，你父母该多为你高兴啊！你可千万不能为我抱这种不平，那样做兴许你也会被解雇了呀！你能转正，大姐我心里替你高兴啊……”母亲说不下去了。

“大姐！……”小姨忽然扑在母亲怀中，嘤嘤地哭了……

## 七

小姨转正后不久，便搬到厂内的职工集体宿舍去住了。对小姨的走，我们和母亲都依依不舍。但想到小姨毕竟是搬到一个比我们家更好的去处，就都不说挽留的话了。

小姨也对我们和母亲依依不舍，搬走那天，她又孩子似的哭了一通……

小姨虽然从我们家搬走了，却并没有忘记我们，几乎每个星期天都必定到我家来——小姨仍是我们比亲姨还要亲的小姨。

父亲信中说那一年夏天探家，却一直到国庆节的前两天才回来。回来后，自然从我们口中听了许多“小姨”长“小姨”短的话，免不了就盘问母亲：“你打哪儿认这么个妹子？怎么就成了孩子们的小姨了？”

母亲回答：“这又不花你的费你的，也得受你管吗？”

父亲正色说：“当然要管，我可不许什么不相干的女人到我家里来影响我的孩子！”

母亲也正色说：“往好的影响也不许吗？”

父亲说：“只要我看她不顺眼，就不许她来！”

母亲说：“若来了，你还真将她撵出去不成？”

父亲说：“那是当然！”

母亲说：“你问孩子们答应不？”

父亲说：“哪个孩子还敢拦着我吗？”

母亲“哼”了一声，不再同父亲拌嘴，私下里吩咐我：“今晚去你小姨那儿看看她，告诉她这个月内别来，等你爸回西北去了再来。”

吃罢晚饭，我躲过父亲的眼睛，离开了家。

“为什么不让小姨见你们的爸爸呀？他三头六臂怪吓人的吗？”

小姨听我说明来意，奇怪地瞧着我问。

我诚实地回答：“妈妈怕爸爸不喜欢你，你去了，把你撵出来。”

“这么回事啊……”小姨想了想，说，“那你回去告诉你妈妈，我不去就是了。”

小姨还要留我玩，我怕回去太晚，父亲盘问，匆匆走了。

没想到第二天一大早，小姨穿了件非常漂亮的花布衫，一条绿色的裙子，笑盈盈地出现在我家门口。

母亲正要出屋，一脚门里，一脚门外，瞧见小姨，不禁一怔，意外地说道：“哟！你怎么来了呀！”

“我大姐夫千里迢迢地探家了，我来看看他呀！”小姨说着，就迈进了屋。

母亲也赶紧随后跟进了屋。

弟弟妹妹一见小姨，亲亲热热地乱嚷着：“小姨、小姨……”将小姨团团围住了。

父亲正在对着破镜子刮脸，从镜子里瞧见了小姨，也不转身，也不理睬，仍继续刮脸。

母亲说：“他爸，孩子们小姨来了。”

爸爸不得不“唔”了一声，还是不朝小姨看一眼。

母亲只好以自己的热情冲淡父亲的冷漠，将小姨轻轻按坐在炕上，接过她手中的提兜放在一旁，责备地说：“又给孩子们买东西！你挣多少钱啊？一次次地破费！”

小姨笑道：“大姐，这次可不是给孩子们买的，是给我大姐夫买的。”

父亲已刮完了脸，收起刮脸刀，还是一句话也不对小姨说，端着脸盆到外屋洗脸去了。

母亲又赶紧跟在父亲身后到外屋去了。

我们都不安地瞧着小姨。

小姨却快乐地和我们逗着笑着。

一会儿，我瞧见母亲在外屋推了父亲一下，将父亲推进屋来。

父亲被推进屋后，坐在炕沿上，不情愿地搭讪着对小姨说了一句：“今天休息？”

“嗯。”小姨停止了和我们逗闹，瞧着父亲，微微一笑，说，

“大姐夫，我看你也不像个脾气厉害的人呀！”

父亲说：“谁讲我是个厉害人了？”

小姨说：“大姐呗，她担心我来了，你会把我撵出去。”

父亲说：“没影的事儿！”

小姨说：“我寻思大姐夫也不会这么对待我嘛！”

小姨又问：“大姐夫，你从西北回东北，坐几天火车呀？”

父亲说：“三天三夜。”

“西北风沙大吧？”

“大得很，能把人刮跑了！”

“冬天也下雪吗？”

“下雪。”

“听说西北缺水？”

“再也没有比西北缺水的地方了！我们运水的汽车前边走，老牛跟在后边，用舌头舔水箱。一跟跟出去十几里，渴得老牛见了水直淌眼泪。有的老牛活活渴死了，因为身体里没水分，牛皮都扒不下来……”

说起大西北，父亲的话匣子打开了，谁想拦也拦不住，滔滔不绝。

小姨就瞪大着眼睛，像听什么新奇故事似的，聚精会神地听着……

那一天，父亲并没有把小姨从家里撵走。

那一天，小姨在我们家吃了午饭，又吃晚饭，一直待到天黑才回去……

小姨走后，父亲对母亲说：“她小姨人还不错，挺实在个农村姑娘。”

母亲没好气地说："实在不实在，用不着你夸！"

父亲低下头，"嘿嘿"地笑了……

父亲回大西北去时，还将自己戴的一块旧手表送给了小姨。

## 八

小姨来到城里一年多后，脸儿变得白了，眼睛变得亮了，更爱笑了。性情更温柔了，身材更窈窕了，变得更漂亮了。

铁丝工厂的一些小伙子，常常拦住我嬉皮笑脸地问："哎，小家伙，经常到你家来的那个大辫子是你什么人呀？"

我不无骄傲地回答他们："是我小姨呗！"

"你问问她，让我做你的姨夫行不行？"

我听不出是不是好话，就骂他们。他们倒不恼火，反而哈哈笑。铁丝厂的几百名年轻女工，在我看来，哪个也比不上小姨好看。我认为，我当然有充分的理由在别人面前骄傲骄傲了。

记得那是第二年初夏的一个星期天，小姨又到我家来，穿了一件崭新的府绸衫，一条咔叽布裤子，一双新皮鞋，那天她显得尤其漂亮。小姨从不过分打扮，即使花衣服穿在她身上，也显得朴朴素素的。

母亲一声不响，若有所思地看了她许久。

小姨被母亲看得有些难为情起来，勾下头低声问："大姐，你这么呆呆看我干啥呀？"

母亲说："我瞧你是越来越好看了。"

小姨缓缓抬起头，说："以前别人说我好看，我不信，现如今我自己也觉得我是好看些了！”

母亲说：“自己夸自己，羞不羞？”

小姨说：“本来嘛，城里洗脸，用温水，使香皂，人还能不变得白白净净的？”

母亲笑道：“可也是呗！”忽然又问：“你前次回家，莫不是回去定亲的吧？”

小姨倏地红了脸，大声说：“才不是呢！才不是呢！”

母亲说：“是不是的，我也管不着你！”

小姨说：“怎么管不着？你是我大姐，我是你妹子嘛！”

母亲说：“那我问你，你是想在农村找婆家，还是想在城里找婆家呀？”

小姨见母亲问得认真，低头沉思默想了一会儿，反问母亲：“大姐你说呢？”

母亲说：“当然是该在城里找了，你如今是城里人了嘛！工厂不是也替你将户口落下了吗？”

小姨点点头。

母亲说：“那就更该在城里找了！”

小姨说：“大姐我听你的。”

母亲又说：“只是我希望你若看中了什么人，能领来让大姐见一面，帮你参谋参谋。大姐毕竟比你多吃了几年咸盐，什么样的男人，打眼一看，就能看出人品好坏来的。”

小姨低下头，许久不作声。

母亲问：“你信不过大姐？”

小姨又沉默了一会，低声说：“大姐你说，一个男人对一个女人真好假好，怎么才能知道呢？”

母亲思索了片刻，问："你八成是看中哪个男人了吧？"

小姨抬起头，连连分辩："没有，没有。"

母亲说："一个男人对一个女人真好假好，别人是没法看出来的，只有这个女人心里最清楚啊！"

小姨又低下头不说话，出起神来。

## 九

到了秋季，连日暴雨，松花江水位猛涨，高出地面几米。那一年的水患，是一九三六年后的又一次严重水患。幸亏防洪工作做得早，大水没有灌入市区。全市的成年人，不分男女，都被紧急动员起来，昼夜分批奋战在各处防洪大坝上。有许多日子，小姨没到我家来，母亲说，她必定是参加抗洪了。

中秋之夜，许许多多的人是在防洪大坝上度过的。

江洪终于被战胜了。

母亲说，小姨过几天就会来了。

我们和母亲都在殷切地盼望着，一个多月没见小姨，我别提有多想她。

江洪虽然被战胜了，秋雨却没有停止。

一天深夜，外面风雨交加，雷声不断。闪电透过低矮倾斜的窗格子，在我们的破屋子里闪耀出一瞬瞬的光亮。我们和母亲都已躺下了，但还没有入睡。忽然，我似乎听到了轻轻的敲门声。

我说："妈，有人敲门。"

母亲说："深更半夜的，哪会有人来！"

我肯定地说："妈，是敲门声，你听！"

母亲侧耳倾听了一会儿，果然是敲门声。

母亲却不敢下地去开门。

敲门声又响起了。

"大姐……"

我们都听出了是小姨的声音。

"快……"母亲一下子坐了起来。

我已迫不及待地跳下地去开了门。

果然是小姨，她没撑雨伞，也没穿雨衣，浑身上下淋得湿漉漉的。她的脸色那么苍白，衣服裤子沾满泥浆，显然是滑倒过的。

母亲也披着衣服下地了。

弟弟妹妹都醒了，我们和母亲愣怔地瞧着小姨。

"你……你怎么突然……"母亲吃惊极了。

小姨直挺挺地站在母亲面前，手中拎的包袱，像刚从水里捞出来的一样，沉重地坠着她的手臂。雨水顺着发缕，顺着苍白的脸颊，顺着贴住胸脯的衣襟往下淌，顷刻在她那双泥鞋旁淌了一片。她那双眼睛，仿佛也被雨雾罩住了，目光迷惘地定定地看着母亲。

"大姐，你……还收我……住下，行吗……"从她那两片冻得发紫的嘴唇之间，滞涩地输送出这么一句话。

"有什么不行的！快先把湿衣服换下来……"母亲立刻拉着她的一只手，将她引到了外屋。接着，母亲又走回里屋，打开破箱子，挑拣了几件自己的衣服，抱着被褥枕头，又到外屋去了。

“跟同宿舍的人吵架了？”我们在里屋听到母亲低声问。

“大姐……”随后听到了小姨的哭泣。

“受欺负了？都二十多岁的大姑娘啦，住集体宿舍不同于住在自己家里，事事要宽宏大量嘛！”

小姨的哭声很低很低，却令我听了心碎……

那一夜，母亲便陪小姨睡在外屋。

第二天，小姨病了，高烧中偶尔说一句我们听不清楚也无法理解的呓语。

第三天，雨停了。来了两个小姨厂里的领导，说是要向母亲了解一些有关小姨的情况。母亲将我们一个个从里屋赶出来，关上门，在里屋和他们说了半天。

母亲送他们走时，脸色很阴沉。从外面进屋，先站在小姨铺前，怔怔地瞧了一会儿熟睡中的小姨，慢慢转过身又独自发呆，接着抓起块抹布，心不在焉地抹抹这儿擦擦那儿，忽然对我说：“绍生，你好好在家照看你小姨，我去请街头私人诊所的王老中医来。”

不大一会儿工夫，母亲将王老中医请来了，见我们守在小姨铺前，无缘无故冲我发起火来，大声训斥：“还不出去！”

我看得出母亲心里极烦，乖乖地退了出去。

王老中医走后，我和弟弟妹妹们还不敢进屋，就从土埋半截的窗子外面偷偷朝屋里窥视，见母亲正一手扶着小姨的肩，一手端着水杯，几乎是用命令的语调说：“红糖水，喝下去。”

小姨喝了那杯红糖水，母亲扶她躺下，坐在铺边，瞧着她的脸，冷冷地问："刚才你们厂里的领导来过了，你知道？"

小姨的头在枕上微微摆了一下，她好像接受审问的人一样，目光又诚恳又羞愧地望着母亲。

"几个月了？"

"三个多月了。"

"你竟骗了我！"

"……"

"你瞒过了我的眼睛，能瞒得过别人的眼睛吗？能瞒多久哇？！"

"……"

"说，是什么人的？"

"……"

"说话呀！"

"……"

"你哑巴啦？"

"大姐，我不能告诉你，我谁也不能告诉。"

"你……"母亲生气了，倏地站了起来，随即忍气坐下，又问，"好，我也不想知道这个人的尊姓大名，那你们事到如今，为什么不结婚？"

"……"

"他……要撇了你？"

小姨的头又在枕上轻轻动了一下。

"那么难道……是你不愿意？！"

"……"

"你给我说话！"

“大姐，我不能和他结婚了……”

“什么？你肚子里怀上了孩子，你倒说不能和他结婚了！”

“大姐，你别追问了！”小姨闭上了眼睛，两颗很大的泪珠，从她脸上滚落下来。

“我要问，问个一清二楚！你爹当初是如何把你托付给我的？难道你忘了吗？”母亲又动气了。

“你要不说，你就离开我家！我不能让人指我的脊梁骨，说我收留了个大姑娘，在我家生下个不明不白的孩子！”

小姨又睁开眼睛，噙泪望着母亲，说：“大姐，你放心，我病好点，就走……绝不连累你的名誉。”

“走？你往哪走？”

“没有去路，还有死路！”

小姨轻轻往上扯被子蒙住了头，我看见被子在微微耸动着。

“唉……”母亲长长地叹了口气，又是怜又是恨地说，“你呀你，你这都是为了什么呀！”轻轻掀开被角，用手掌心去擦小姨脸上的眼泪。

## 十

小姨始终不肯说出那个男人是谁。

小姨被厂里开除了。

母亲却并未因此而把小姨赶走。

小姨在我们家里生下一个小女孩。

女孩刚刚满月，小姨的父亲就从农村来了，将小姨和孩子一块儿接走回农村去了。

母亲那一天怀着无比的内疚对小姨的父亲说："大伯，我对不起你……"

小姨怀中抱着孩子，一步步走至母亲面前，双膝同时一屈，给母亲跪下了。她仰起头望着母亲，泪流满面，想说什么话，嘴唇抖抖的，却一个字也没说出来。

母亲扶起她，也想对她说什么，也是嘴唇抖抖的，一个字也没说出来。

母亲一转身走入屋里，再没出来。

是我将小姨父女送到了火车站，火车开走后，我望着远去的火车，感到我心中最美好的东西也被火车带走了。

回到家里，我发现母亲的眼睛哭红了……

不久，小姨来信，说她可能做村里的小学教师，我和母亲都为此减少了一些替她感到的忧郁。

几个月后，小姨又来了一封信，说是当小学教师的事不成了……

往后，小姨和我们家也就只有书信来往了。

我升初中那年，小姨又从农村来我家住了半个多月，带着孩子。那女孩已经五岁了，一张小嘴很甜却面黄肌瘦的。母亲很疼爱这没父亲的孩子，有口好吃的，总要留给她吃。那正是三年自然灾害时期，家中也谈不上有什么好吃的，两掺面的馒头，就是很馋人的东西了。

小姨却明显地老了，仿佛有三十多岁了，穿的也是打补丁的旧衣服，满面愁容。半个多月内，几乎就没见她露过笑脸。

母亲曾私下里劝小姨再找个男人。

小姨瞧着她的孩子，凄然地说："大姐，我眼下没这心思，等把孩子拉扯成人再考虑吧。"

母亲说："傻话，那时哪个像样的男人还会讨你？趁现在还算年轻，赶快找个男人吧，也能帮你把孩子拉扯大。"

小姨沉默许久后，低声说："只怕找个不通人情的后爹，会给孩子气受。"

母亲急躁了，"哪个又是孩子的亲爹呀！但凡是个有良心的男人，能把你们母子俩撇下了不管吗？"

"大姐，你别那么说这个人吧……"小姨几乎是在请求。

母亲便忍住许多要说的话不说了。

我们家的日子也很艰难，小姨不忍心分我们全家的口粮吃，半个月后就带着孩子回农村去了……

从那一年至今，已整整二十三年了。我下乡，上大学，落户北京，就再也没见到过小姨了……

## 十一

回想起这些往事，我对小姨充满了深深的同情，并且对那个造成小姨一生如此悲凉命运的，仿佛只一度存活在小姨心灵中的男人，充满了强烈的憎恨。我从哈尔滨到北大荒，从北大荒到上海，从上海到北京，在生活的道路上匆匆地奔来赴往，几乎就将小姨忘却了。只有弟弟妹妹们在来信中提及小姨，才使我想起这个与我们的家庭虽没有任何血缘关系，却是除了母亲而外唯一使我们感到最亲近的女人。即使想起她，也是想起了那个抱着刚满月的孩子，双膝跪在母亲面前的，脸色苍白，两目盈泪的小姨。当时的离别情形，给我留下的印象是太深了。如今听母亲讲，小姨已是不久于人世之人了，我对小姨的思念，油然而增强起来。

第二天，我本想就到双城去看小姨，却来了两个中学时期最要好的同学。他们是到家里来请人去帮忙安装土暖气的，意外地见到我，自然就聊了起来，误了火车时刻。

第三天，我生怕再被什么人耽搁在家中，一清早便离家，赶上了去双城的郊区火车。

小姨家所在的村子竟是个大村，有百户人家以上。新盖的砖房不少，有些人家连院落围墙也是砖的，足见农民的生活是比过去富裕多了。

我向几个村人询问小姨家住哪儿，都摇头说不知道有这么个人。我只好又说出“小姨”的名字，他们才恍然大悟，纷纷说：“原来你要找秀秀她妈呀！”一个姑娘便主动引领我。

路上，她问我：“你从天津来？”

我反问：“为什么你以为我从天津来？”

“秀秀在天津读大学嘛！你和她是同学？”她用一种猜测的目光看我。

我说：“我从哈尔滨来，秀秀是我表妹，她妈是我姨。”

“是吗？这我可从来不知道……”她那猜测的目光，就转而变成了研究的目光，上下打量我，要把我“研究”透彻似的。

姑娘引我走入一个破败的院落，说：“就住这儿！”那房子，很久未修缮了，与周围的变化极不协调。

我犹豫了一下，走了进去。

一位中年女人在炕间熬药，惊奇地扭身看着我，问："你找谁？"

我说："我从哈尔滨来，看我小姨。"

她"啊"了一声，说："快进屋吧，我知道你是谁了，她天天念叨你呢！"

走入里屋，见小姨躺在炕上，一副气息奄奄的样子，她怔怔地瞧着我。

"小姨！"我情不自禁地叫道。

"是……绍生？！……"小姨便要挣扎起身，却是挣扎不起。

我立即走到炕边，轻轻按住被子，不使她动。

小姨拽住我的一只手，眼中落下泪来，说："想不到我还能活着见你一面……"

那女人，是小姨家的邻居，受村人们的委托，天天来照料小姨的。我向她道过了谢，她就走了。

她走后，小姨用手轻轻拍着床边。她那只手很枯瘦，皮肤也很粗糙，呈黧黑色。她已病得连抬手的气力都几乎没有了，手臂像死肢似的贴在炕上，连手腕也看不出在动，只有僵曲的手指抬起，落下……这双手曾多么温柔地爱抚过我啊！

也许只有我才能明白她的意思，我轻轻走到炕边，坐了下去。

她那只手抓住了我的手，抓得那么紧，仿佛她全身最后的力量，都集中在她那只手上了，就像一个唯恐被单独留在家里的孩子，紧紧抓住母亲的手不放一样。

我心中一阵酸楚。

我注视着她的脸，想要在这张脸上寻找到我童年和少年时期的记忆，想要重见昔日的美，哪怕是一点点美的余韵。小姨她不过才四十多岁啊！这张脸曾在我还是一个男孩子的时候，使我初次懂得了什么叫羞愧，也使我初次懂得了什么叫美好。然而这张脸如今苍老得使我根本认不出来了，浮肿，灰黄，目光无神，头发稀少得可怜。

“我的样子……是不是……很……难看？……”小姨用微弱的声音问，无神的目光，凝视在我脸上。

“不，小姨，你别这么说。你……会好起来的……”我转过脸去，不忍再望着她。

“我会好起来？……也许……我想，我也不会就这么……就死了……”她微笑了一下，像阳光在枯叶上的一抹闪耀。

几只母鸡气宇轩昂地逛进屋里，仿佛它们才是这间屋子的主人似的，东刨一下，西啄一口。

小姨又开口说：“你……替我……喂喂鸡……外屋粮箱里……有米……”

我便起身将鸡唤到院子里，一边机械地撒米，一边又想到了那个仿佛隐藏在小姨可悲命运的阴影之中的男人，并为自己也是一个男人感到罪孽深重。

突然听到屋里一阵响动，我慌忙走进屋去，见小姨倒在地上，地上一片水，毛巾和香皂浸在水中，脸盆却滚到了墙角。

我慌忙将小姨扶起来，抱在炕上，她的身体竟瘦得那么轻！衣服也湿了，一手还抓着湿毛巾。

“我的样子……一定……很难看……我……想洗洗脸……洗洗……头……”小姨那苍灰的脸上竟因羞愧出现了红晕。一个女人的自尊心，无比强烈地震动了我的灵魂。啊！我的小姨啊！

我不知说什么好，任何语言都不能准确表达我当时复杂的情感和思想。我默默捡起脸盆，捡起了香皂和小镜子。镜子，已经碎了。

我重新兑了一盆温水，放在炕边。我坐在炕边，将小姨的头枕在我的膝上，一声不响地给这个我小时候曾非常敬爱过的女人洗了脸，洗了头。我这样做，觉得我仿佛是在向这个女人偿还什么。可这又是多么微不足道的偿还！泪水，从小姨的眼角溢了出来，也从我的眼角溢了出来……

当我重新坐在床边，注视着小姨的时候，她又轻轻抓住了我的手，说："想……听我告诉你吗？"

我低声问："小姨，你要告诉我什么？"

"告诉你……当年……那件事……"

我一时不知如何回答，只微微点了一下头。

## 十二

"我爱过。"小姨说。那声音里，有一种满足，一种我简直无法理解的幸福之情。

"我爱过。"她重复地说，"我……知道，你，你母亲，你们全家，包括秀秀，我的女儿，都恨他，恨我爱过的那个男人……可是，我不恨他，我一点儿也不恨他。他是爱我的，我多爱他，他多爱我……"小姨的话，竟说得连贯起来。

“他那样真心实意地爱过我，我死了也知足了。你已经是个大人了，你懂得，一个男人如果真心实意喜欢一个女人，会爱这个女人到什么程度……他是一个复员军人，参加过抗美援朝，还立过……一次二等功。当年，是个预备党员，是我们那批转正女工的领队。大家都说他人品好……你母亲要是见过他，也一定会说他是个好男人的。我和他当年真……孩子气啊！我们有意瞒着你母亲，一是怕她为我们的婚事操心，二是想使你母亲意想不到。所以我们决定，结了婚再双双去看你母亲，想让她光为我们高兴，半点也不必费心替我们张罗。我们真像两个孩子啊！我们不但瞒着你的母亲，还瞒着所有的人，偷偷相会，偷偷相爱……

“后来，他参加了抗洪。中秋节那一天，同宿舍的其他女工，都回家和家人们团圆去了。我一个人留在宿舍里，很孤单。他来了，我高兴得什么似的。我希望他陪我度过那一天，他却说不行，他得参加抗洪。我说：‘你不是已经参加过了吗？这一批没有你呀！’他说：‘你别忘了，我是预备党员呀！’我怪不高兴的，说他心里压根儿没有我。他呢，就光是憨厚地笑，笑得我也不忍心再生他的气了。他这个人话不多，从来也没对我说过他有多么多么爱我的话。但我知道，我感觉得到，他是非常爱我的，他整个心里只装着我一个女人。你母亲说得对，一个男人爱不爱一个女人，只有这个女人心里最清楚。我心里清楚，他是一片心地爱我。我见他衣服上缺了一颗扣子，就翻出一颗，要给他钉上。他不让我钉，我偏要给他钉上……你不知道他有多高大呢，我在他面前，就像一个孩子似的。当时我真是幸福哪！刚钉了两三针，外面就敲起了锣，有人喊：‘抗洪的马上出发了！车一刻不等啊！’他一听，就急急忙忙站起来，从衣服上揪下那颗没钉牢的扣子，塞在我手里，要往外闯。我一把扯住他的袖子，拿出两块月饼，揣进他的两个衣兜里。他临出门，亲了我一下……世界上如果有一个人能真心实意地爱我，和我白头到老，那一定就是他了。在我和他相好以前，我从没接近过别的男人。我一辈子就只爱过一个男人，就只爱过他。当时我已经把自己给了他，因为我就要是他的女人了，他就要成为我的丈夫了，所以我一点也不觉得在人前心中有什么羞愧。可是……他为了堵坝，淹死了……听人说，两块月饼死后还在他衣兜里，一口也没吃……

“他成了人人敬仰的烈士，被追认为共产党员，厂里为他开了追悼会，许许多多的人都痛哭了，许许多多的人都表示要向他学习。他的照片还登在了报上，他的事迹也登报了。防洪纪念塔落成的那一天，市长还在讲话中提到他的名字，说他的名字将永远活在全市人民心中，我当时哭得眼睛都肿了，可是没有一个人知道，我已经怀孕三个多月了，那孩子就是他的，因为许多别的人，凡是认识他的，不论男人女人，也都和我一样，在流泪，在哭……我站在人们中间，暗暗发誓，我要永远永远不对人们说出我肚子里的孩子是谁的……”

小姨讲述到这里，缄口了，她凝眸望着屋顶。她的脸像雕塑，毫无表情，而她的话却讲得一句连一句，仿佛这些话她已在心中对自己讲了不下几百遍。这个女人用极低的声音说的这些话，充满了人世间最圣洁最真挚的情感！也许正是这种情感的作用，才能使她在气息奄奄的情况下，如此连贯地讲了这么许多话！

我和小姨都陷入了沉思默想。我的心灵像一条鱼，在这沉默之中，一忽儿潜入幽暗冰冷的渊底，不知自己身在现实还是身在幻境；一忽儿浮升起来，感受着阳光透过水波的温暖和辉照……

一种类似参加最亲爱的人的丧事的悲凉，在我心灵中弥漫！

小姨终于又开口说："要是在今天，我还是当年的我，我也许，不会向人们隐瞒这件事。可是当初，我不能够，我怎么能够……他那么爱我，我那么爱他，我不能对不起他……你，把那个箱子打开……"

我起身打开了炕角的一个旧箱子。

"把箱里那个小铁盒……拿来。"

那是一个车床工们装工具的小铁盒，我将它捧到了小姨跟前。

小姨从手腕上捋下钥匙，打开了它。

"你看吧……"她说。那目光仿佛在告诉我——我没骗你，没讲一句假话，真的！

小盒里，放着一张叠起来的已发黄的报纸，上面，是一颗黑纽扣，带着一条线……

小姨又说："多少年来，各种各样的人，总想从我口中问出这件事，我一个字也没吐露过。如今，再没人问我了，可我……可我……我倒非常想对人说，只对一个人说，让这个人明白。为什么呢？都隐瞒了那么多年了……我也不知道自己是怎么了……"

我说："小姨，我明天就带你回哈尔滨，我妈妈非常非常想你啊！弟弟妹妹们都非常非常想你啊！”

“哈尔滨……”小姨脸上闪耀出一种光彩，她说，“我也想你们全家的人。明天吗？”

我点点头，大声说：“是的，明天。”

“好……”她又笑了，喃喃地说，“我的病情，是瞒着秀秀的。这孩子正在准备考研究生，我怕……分了她的心……耽误了孩子……以后的前程。北京……离天津近……我……将秀秀托付给你了……”

我真想哭，可是我已经许久许久没有哭过了。这并不意味着我的心麻木了——不，人的种种心愿还在这心中深深隐藏——只是我已经似乎不会再哭了。

可是我当时多想哭啊！

天黑后，我在小姨身旁守到很晚，才去外屋睡下。我守在她身旁时，她似乎是知道的，却再也没有对我说什么，只是用她的手，轻轻抓住我的手，闭着眼睛，脸上呈现着那么一种获得极大安慰的表情……

第二天上午，小姨死了。她脸上仍保持着那种获得极大满足的表情，一种幸福的、安宁的、无憾无怨的表情……

我将那颗黑纽扣带回了北京，放在妻子装耳环的一个精巧的小盒里，摆在书架上。为了使自己能经常看见它，想起小姨。我知道，我将永远珍存它，却不会再打开那小盒，更不会将它出示给任何人看——那颗黑纽扣……

# 兄长

如果，谁面对自己的哥哥，心底油然冒出“兄长”二字的话，那么大抵，谁已老了。并且，谁的“兄长”肯定更老了。

这个“谁”，倘是女性，那时刻她眼里，几乎会漫出泪来。而若是男人，表面即使不动声色，内心里也往往百感交集。男人也罢，女人也罢，这种情况之下的他或她以及兄长，又往往早已是没了父母的人了。即使这个人曾有多位兄长，那时大概也只剩对面或身旁那唯一的一个了，于是同时觉得变成了老孤儿，便更加互生怜悯了。老人而有老孤儿的感觉，这一种忧伤最是别人难以理解和无法安慰的，儿女的孝心只能减轻它，冲淡它，却不能完全抵消它。

有哥的人的一生里，心底是不大会经常冒出“兄长”二字的。“兄长”二字太过文化了，它一旦从人的心底冒了出来，会使人觉得，所谓手足之情类似一种宗教情愫，于是几乎想要告解一番，仿佛只有那样才能驱散忧伤……几天前，在精神病院的院子里，我面对我唯一的哥哥，心底便忽然冒出了“兄长”二字。那时我忧伤无比，如果附近有教堂，我将哥哥送回病房之后，肯定会前去祈祷一番的。我的祷词将会很简单，也很直接："主啊，请保佑我，也保佑我的兄长……"我一点儿也不会因为这样的祈求而感到羞耻。

我的兄长大我六岁，今年已经六十八周岁了。从二十岁起，他一大半的岁月是在精神病院里度过的。他是那么渴望精神病院以外的自由，而只有当我是一个退休之人了，他才会有自由。我祈祷他起码再活十年，不病不瘫地再活十年。我不奢望上苍赐他更长久的生命，因为照他现在的健康情况看来，那分明是不实际的祈求。我也祈祷上苍眷顾于我，使我再有十年的无病岁月。只有在这两个前提之下，他才能过上十年左右精神病院以外的较自由的生活。对于一个四十八年中大部分岁月是在精神病院中度过的，并且至今还被软禁在精神病院里的人，我认为我的祈求毫不过分。如果有上帝、佛祖或其他神明，我愿与诸神达成约定：假使我的祈求被恩准了，哪怕在我的兄长离开人世的第二天，我的生命也必结束的话，那我也宁愿，绝不后悔！

在我头脑中，我与兄长之间的亲情记忆就一件事：大约是我三四岁时，我大病了一场，高烧，母亲后来是这么说的。我却只记得这样的情形——某天傍晚，我躺在床上，对坐在床边心疼地看着我的母亲说我想吃蛋糕。之前我在过春节时吃到过一块，觉得那是世上最好吃的东西。外边下着瓢泼大雨，母亲保证说雨一停，就让我哥去为我买两块。当年，在街头的小铺子里，点心乃至糖果也是可以论块买的。我却哭了起来，闹着说立刻就要吃，于是当年十来岁的哥哥脱了鞋、上衣和裤子，只穿裤衩，戴上一顶破草帽，自告奋勇，表示愿意冒雨去为我买回来。母亲被我哭闹得无奈，给了哥哥一角几分钱，于心不忍地看着哥哥冒雨冲出了家门。外边又是闪电又是惊雷的，母亲表现得很不安，不时起身走到窗前往外望。我觉得似乎过了挺长的钟点哥哥才回来，他进家门时的样子特滑稽，一手将破草帽紧拢胸前，一手拽着裤衩的上边。母亲问他买到没有，他哭了，说第一家铺子没有蛋糕，只有长白糕，第二家铺子也是，跑到了第三家铺子才买到的。说着，哭着，弯了腰，使草帽与胸口分开，原来两块用纸包着的蛋糕在帽兜里。那时刻他不是像什么落汤鸡，而是像一条刚脱离了河水的娃娃鱼。那时刻他也有点儿像在变戏法，是被强迫着变出蛋糕来的。变是终归变出来了两块，却委实变得太不容易了，所以哭，大约因为觉得自己笨。

母亲说："你可真死心眼儿，有长白糕就买长白糕嘛，何必多跑两家铺子非买到蛋糕不可呢？"

他说："我弟要吃的是蛋糕，不是长白糕嘛！"

还说，母亲给他的钱，买三块蛋糕是不够的，买两块还剩下几分钱，他自作主张，还为我买了两块酥糖……

"妈，你别批评我没经过你同意啊，我往家跑时都摔倒了。"

其实对于我，长白糕和蛋糕是一样好吃的东西。我已几顿没吃饭了，转眼就将蛋糕狼吞虎咽地吃了下去。

而母亲却发现，哥哥的胳膊肘、膝盖破皮了，正滴着血。当母亲替哥哥用盐水擦过了伤口，对我说也给你哥吃一块糖时，我连最后一块糖也嚼在嘴里了……

是的，我头脑中只不过就保留了对这么一件事的记忆。某些时候我试图回忆起更多几件类似的事，却从没回忆起过第二件。每每我恨他时，当年他那种像娃娃鱼又像变戏法的少年的样子，就会逐渐清楚地浮现在我眼前。于是我内心里的恨意也就会逐渐地软化了，像北方人家从前的冻干粮，上锅一蒸，就暄腾了。只不过在我心里，热气是回忆产生的。

是的——此前我许多次地恨过哥哥。那一种恨，可以说是到了憎恨的程度。也有不少次，我曾这么祈祷：上帝呵，让他死吧！并且，毫无罪过感。我虽非教徒，但由于青少年时读过较多的外国小说，大受书中人物影响，倍感郁闷、压抑了，往往也会像那些人物似的对所谓上帝发出求助的祈祷。千真万确，我是多次憎恨过我的哥哥的。

我上小学三年级时，哥哥已经在读初三了，而我从小学四年级到六年级的三年里，正是哥哥从高一到高三的阶段。那时，我又有了两个弟弟一个妹妹，而实际上，家中似乎只有我和两个弟弟一个妹妹四个孩子。除了过年过节和星期日，我们四个平时白天是不太见得到哥哥的。即使星期日，他也不常在家里。我们能见到母亲的时候，并不比能见到哥哥的时候多一些。而是建筑工人的父亲，则远在大西南。某几年这一省，某几年那一省。从我小学一年级的时候起，父亲就援建"大三线"去了——每隔两三年才得以与全家团圆一次，每次十二天的假期。那对父亲如同独自一人的万里长征，尽管一路有长途汽车和列车可乘坐，但中途多次转车，从大西南的深山里回到哈尔滨的家里，每次都要经历五六天的疲惫途程。父亲的工资当年只有六十四元，他每月寄回家四十元，自己花用十余元，每月再攒十余元。如果不攒，他探家时就得借路费了，而且也不能多少带些钱回到家里了。到过我家里的父亲的工友曾同情地对母亲说："梁师傅太仔细了，舍不得买食堂的菜吃，自己买点儿酱买几块豆腐乳下饭，二分钱一块豆腐乳，他往往就能吃三天！"

那话，我是亲耳听到了的。

父亲寄回家的钱，十之八九是我去邮局取的。从那以后，每次看着邮局的人点钱给我，我的心情不是高兴，而竟特别的难受。正是由于那种难受使我暗下决心，初中毕业后，但凡能找到份工作，我一定不读书了，早日为家里挣钱才更要紧！

那话，哥哥也是当面听到了的。

父亲的工友一走，哥哥哭了。

母亲已经当着来人的面落过泪了，见哥哥一哭，便这么劝：儿子别哭，你可一定要考上大学对不对？家里的日子再难，妈也要想方设法供你到大学毕业！等你大学毕业了，家里的日子不就有缓了吗？爸妈不就会得你的济了吗？弟弟妹妹不就会沾你的光了吗……

从那以后，我们见到哥哥的时候就更少了，学校几乎成了他的家了。从初中起，他就是全校的学习尖子生，也是学生会和团的干部，他属于那种多项荣誉加于一身的学生。这样的学生，在当年，少接受一种荣誉也不可能，那是自己做不了主的事。将学校当成家，一半是出于无奈，一半也是根本由不得他自己做主。我们的家太小太破烂不堪，如同城市里的土坯窝棚。在那样的家里学习，要想始终保持全校尖子生的成绩是不太可能的，所以他整天在学校里，为那些给予他的荣誉尽着尽不完的义务，也为考上大学刻苦学习。

每月四十元的生活费，是不够母亲和我们五个儿女度日的，母亲四处央求人为自己找工作。谢天谢地，那几年临时工作还比较好找。母亲最常干的是连男人们也会叫苦不迭的累活儿脏活儿，然而母亲是吃得了苦的，只要能挣到份儿钱，再苦再累再脏的活儿，她也会高高兴兴地去干。每月只不过能挣二十来元吧，那二十来元，对我家的日子作用重大。

一年四季，我和弟弟妹妹们的每一天差不多总是这样开始的：当我们醒来，母亲已不在家里，不知何时上班去了。哥哥也不在家里了，不知何时上学去了。倘是冬季，那时北方的天还没亮。或者，炉火不知何时已生着了，锅里已煮熟一锅粥了，不是玉米粥，便是高粱米粥。或者，只不过半熟，得待我起床了捅旺火接着煮。也或者，炉火并没生，屋里冷森森的，锅里是空的，须我来为弟弟妹妹们弄顿早饭吃。煮玉米粥或高粱米粥是来不及了的，只有现生火，煮锅玉米面粥……

我从小学二三年级起就开始做饭、担水、收拾屋子，做几乎一切的家务了。

在当年的哈尔滨，挑回家一担水是不容易的。我家离自来水站较远，不挑水也要走十来分钟。对于才小学二三年级的孩子，挑水得走二十来分钟了，因为中途还要歇两三歇。我是决然挑不起两满桶水的，一次只能挑半桶。如果我早上起来，发现水缸里居然已快没水了，我对哥哥是很恼火的。我认为挑水这一项家务，不管怎么说也应该是哥哥的事。但哥哥的心思几乎全扑在学习上了，只有星期日他才会想到自己也该挑水的，一想到就会连挑两担，那便足以使水满缸了。而我呢，其实内心里也挺期待他大学毕业以后，能分配到较令别人羡慕的工作，挣较多的钱，使全家人过上较幸福的生活。这种期待，往往很有效地消解了我对他的恼火。

然而我开始逃学了。

因为头一天晚上没写完作业或根本就没顾得上写，第二天上午忙得顾此失彼，终究还是没得空写——我逃学。

因为端起锅时，衣服被锅底灰弄黑了一大片，洗了干不了，不洗再没别的衣服可换（上学穿的一身衣服当然是我最体面的一身衣服了）——我逃学。

因为一上午虽然诸事忙碌得还挺顺利，但是背上书包将要出门时，弟弟妹妹眼巴巴地望着我，都显出我一走他们会害怕的表情时——我逃学。

因为外边大雪纷飞，天寒地冻，而家里若炉火旺着，我转身一走不放心；若将炉火压住，家里必也会冷得冻手冻脚——我逃学。

因为外边在下雨，由于房顶处处破损，屋里也下小雨，我走了弟弟妹妹们不知如何是好——我逃学……

我对每一次逃学几乎都有自认为正当的辩护理由，而逃学这一种事，是要付出一而再、再而三的代价的。我头一天若逃学了，晚上会睡不着觉的，唯恐面对老师当着全班同学面的训问不知如何回答是好，结果第二天又逃学，第三天还逃学。最多时，我连续逃学过一个星期，并且教弟弟妹妹怎样帮我圆谎。纸里包不住火，谎言终究是要被戳穿的。有时是同学受了老师的指派到家里来告知母亲，有时是老师亲自到家里来了。往往的，母亲明白了真相后，会沉默良久。那时我看出，母亲内心里是极其自责的，母亲分明感觉到对不住我这个二儿子。

而哥哥却生气极了，他往往这么谴责我："你为什么要逃学呢？为什么不爱学习呢？上学对于你就是那么不喜欢的事吗？你看你使妈妈多难堪，多难过！你是不对的！还说谎，会给弟弟妹妹们什么影响？！明天我请假，陪你去上学！"

却往往的，陪我去上学的是母亲，母亲不愿哥哥因为陪我去上学而耽误他的课。

哥哥谴责我时，我并不分辩。我内心里有多种理由，但那不是几句话就自我辩护得明白的。那会儿，我是恨过我的哥哥的。他一贯以学校为家，以学习为"唯此为大"之事，对于家事，却所知甚少。以他那样一名诸荣加身的优秀学生看来，我这样一个弟弟简直是不可理喻的，也是一个令他蒙羞的弟弟。在我的整个小学时期，我是同学们经常羞辱的"逃学鬼"，在哥哥眼中是一个令他失望的、想喜欢也喜欢不起来的弟弟。

一九六二年，我家搬了一次家。饥饿的年头还没过去，我们竟一个也没饿死，几乎算是奇迹。而哥哥对于我和弟弟妹妹，只不过意味着有一个哥哥，他在家也只不过就是我们学习的榜样。

那一年我该考中学了，哥哥将要考大学了。

六月，父亲回来探家了。那一年父亲明显地老了，而且特别瘦，两腮都塌陷了。他快五十岁了，为了这个家，每天仍要挑挑抬抬的。他竟没在饥饿的年代饿倒累垮，想来也算是我家的幸事了。

一天，屋里只有父亲、母亲和哥哥在的时候，父亲忧郁地说："我快干不动了，孩子们一个个全都上学了，花销比以前大多了，我的工资却十几年来一分钱没涨，往后怎么办呢？"

母亲说："你也别太犯愁，那么多年苦日子都熬过来了，再熬几年就熬出头了。"

父亲说："你这么说是怪容易的，实际上你不是也熬得太难了吗？我看，千万别鼓励老大考大学了，让他高中一毕业就找工作吧！"

母亲说："也不是我非鼓励他考大学，他的老师、同学和校领导都来家里做过我的工作，希望我支持他考大学……"

父亲又对哥哥说："老大，你要为家庭也为弟弟妹妹们做出牺牲！"哥哥却说："爸，我想过了，将来上大学的几年，争取做到不必您给我寄钱。"

父亲火了，大声嚷嚷："你究竟还是不是我儿子？！难道我在这件事上就一点儿也做不了主了吗？！"

他们都以为我不在家，其实我只不过趴在外屋小炕上看小说呢。那一时刻，我的同情是倾向于父亲一边的。

在父亲的压力之下，哥哥被迫停止了高考复习，托邻居的一种关系，到菜市场去帮着卖菜。

又有一天，哥哥傍晚时回到家里，将他一整天卖菜挣到的两角几分钱交给母亲后，哭了。那一时刻，我的同情又倾向于哥哥了。

他的同学和老师都认为，他天生似乎是可以考上北大或清华的学生。我也特别地怜悯母亲，要求她在父亲和哥哥之间立场坚定地反对哪一方，对于她都未免太难了。

是我和哥哥一道将父亲送上返回四川的列车的，父亲从车窗探出头对哥哥说："老大，我该说的都说了，你自己再三考虑吧！"父亲流泪了，哥哥也流泪了。列车就在那时开动了。

等列车开远，我对哥哥说："哥，我恨你！"依我想来，哥哥即使非要考大学不可，那也应该暂且对父亲说句谎话，以使父亲能心情舒畅一点儿地离家上路，可他居然不。多年以后，我理解哥哥了。母亲是将他作为一个"理想之子"来终日教诲的，说谎骗人在他看来是极为可耻的，那怎么还能用谎话骗自己的父亲呢？

哥哥没再去卖菜，也没重新开始备考。他病了，嗓子肿得说不出话，躺了三天。同学来了，老师来了，邻居来了，甚至街道干部也来了，所有的人都认为父亲目光短浅，不要听父亲的。连他的中学老师也来了，还带来了退烧消炎的药。居然有那么多的人关心我的哥哥，以至于当年使我心生出了几分嫉妒。直至那时，我在街坊四邻和老师同学眼中，仍是一个太不让家长省心的孩子。

哥哥考上了唐山铁道学院——他是为母亲考那所学院的。哈尔滨当年有不少老俄国时期留下的漂亮的铁路员工房，母亲认为，只要哥哥以后成了铁道工程师，我家也会住上那种漂亮的铁路房。

父亲给家里写了一封有一半错字的亲笔信，以严厉到不能再严厉的词句责骂哥哥。哥哥带着对父亲对家庭对弟弟妹妹的深深的内疚，踏上了开往唐山的列车。

我上的中学，恰是哥哥的母校。不久全校的老师几乎都认得我了，有的老师甚至在课堂上问："谁是梁绍先的弟弟？"——哥哥虽然考上的不是清华、北大，但他是在发着烧的情况之下去考的呀！而且他放弃了几所保送大学，而且他是为了遵从母命才考唐山铁道学院的！一九六二年，在哈尔滨市，底层人家出一名大学生，是具有童话色彩的事情。这样的一个家庭，全家人都是受尊敬的。我这名初中生的虚荣心在当年获得了巨大的满足，我开始以哥哥为荣，我也暗自发誓要好好学习了。第一个学期几科全考下来，平均成绩九十几分，我对自己满怀信心。

饥饿像一只大手，依然攥紧着大多数中国人的胃，从草根草籽到树皮树叶，底层中国人几乎将一切能吃的东西都吃遍了，吃光了，并尝试吃许多自认为可以吃的，以前没吃过不敢吃的东西。父亲在大西北挨饿，哥哥在大学里挨饿，母亲和我们在家里挨饿。哥哥居然还不算学校里家庭生活最困难的学生，他每月仅领到九元钱的助学金。他又成了大学里的学生会干部，故须带头减少口粮定量，据说是为了支援亚非拉人民闹革命。父亲不与哥哥通信，不给他寄钱，也挤不出钱来给他寄。哥哥终于也开始撒谎了——他写信告诉家里，不必为他担什么心，说父亲每月寄给他十元钱。那么，他岂不是每月就有十九元的生活费了吗？这在当年是挺高的生活费标准了，于是母亲真的放心了，并因父亲终于肯宽恕哥哥上大学的“罪过”而感动。哥哥还在信中说他投稿也能挣到稿费，其实他投稿无数，只不过挣到了一次稿费，后来听哥哥亲口说才三元……

哥哥第一个假期没探家，来信说是要带头留在学校勤工俭学。第二个假期也没探家，说是为了等到父亲也有了假期，与父亲同时探家。而实际上，他是因为没钱买车票才探不成家。哥哥上大学的第二个学年开始不久，家里收到了一封学校发来的电报——“梁绍先患精神病，近日将由老师护送回家。”

电文是我念给母亲听的。

母亲呆了，我也呆了。

邻居家的叔叔婶婶们都到我家来了，传看着电报，陪母亲研究着，讨论着——精神病与疯了是一个意思，抑或不是？好心的邻居们都说肯定还是有些区别的。我从旁听着，看出邻居们是出于安慰。我的常识告诉我，那完全是一个意思，但是我不忍对母亲说。

母亲一直手拿着电报发呆，一会儿看一眼，一直坐到了天明，而我虽然躺下了，却也彻夜未眠。

第二天我正上最后一堂课时，班主任老师将我叫出了教室——在一间教研室里，我见到了分别一年的哥哥，还有护送他的两名男老师。那时天已黑了，北方迎来了第一场雪。护送哥哥的老师说哥哥不记得往家走的路了，但对母校路熟如家。

我领着哥哥他们往家走时，哥哥不停地问我：家里还有人吗？父亲是不是已经饿死在大西北了？母亲是不是疯了？弟弟妹妹们是不是成了街头孤儿……我告诉他母亲并没疯时，不禁泪如泉涌。

那时我最大的悲伤是——母亲将如何面对她已经疯了的“理想之子”？

哥哥回来了，全家人都变得神经衰弱了。因为哥哥不分白天黑夜，几乎终日喃喃自语。仅仅十五平方米的一个破家，想要不听他那种自语声，除非躲到外边去。母亲便增加哥哥的安眠药量，结果情况变得更糟，因为那会使哥哥白天睡得多，夜里更无法入睡。但母亲宁肯那样，那样哥哥白天就不太出家门了，而这不至于使邻居们特别是邻家的孩子们因为突然碰到了他而受惊。如此考虑当然是道德的，但我家的日子从此过得黑白颠倒了。白天哥哥在安眠药的作用下酣睡时，母亲和弟弟妹妹们也尽量补觉。夜晚哥哥喃喃自语开始折磨我们的神经时，我们都凭意志力忍着不烦躁。六口人挤着躺在同一铺炕上，希望听不到是不可能的。当年城市僻街的居民社区，到了夜晚寂静极了，哥哥那种喃喃自语对于家人不啻是一种刑罚，一旦超过两个小时，人的脑仁儿都会剧痛如灼的，而哥哥却似乎一点儿不累，能够整夜自语——他的生物钟也黑白颠倒了。母亲夜里再让他服安眠药，他倒是极听话的，乖乖地接过就服下去。哥哥即使疯了，也还是最听母亲话的儿子。除了喃喃自语是他无法自我控制的，在别的方面，母亲要求他应该怎样不应该怎样，他都表现得很顺从。弟弟妹妹们临睡前都互相教着用棉团堵耳朵了，母亲睡前开始服安眠药，不久我睡前也开始服安眠药了……

两个月后，精神病院通知家里有床位了。

于是一辆精神病院的专车开来，哥哥被几名穿白大褂的男人强制性地推上了车。当时他害怕极了，不知要将他送到哪里去，对他怎么样。母亲为了使他不怕，也上了车。

家人的精神终于得以松弛，而我的学习成绩一败涂地。

我又旷了两天课，也不用服安眠药，在家里睡起了连环觉。

哥哥住了三个月的院，在家中休养了一年，他的精神似乎基本恢复正常了。一年后，他的高中老师将他推荐到一所中学去代课，每月能开回三十五元的代课工资了。据说，那所中学的老师们对他上课的水平评价挺高，学生们也挺喜欢上他的课。

那时母亲已没工作可干，家里的生活仅靠父亲每月寄回的四十元勉强维持。忽一日一下子每月多了三十五元，生活改善的程度简直接近着幸福了，那是我家生活的黄金时期。

家里还买了鱼缸，养了金鱼，也买了网球拍、象棋、军棋、扑克。在母亲，是为了使哥哥愉快。我和弟弟妹妹们都知道这一点的至关重要，都愿意陪哥哥玩玩。

如今想来，那也是哥哥人生中的黄金时期。

他指导我和弟弟妹妹们的学习十分得法，我们的学习成绩都快速地进步了。我和弟弟妹妹们都特别尊敬他了，他也经常表现出对我们每个弟弟妹妹的关心。母亲脸上又开始有笑容了。甚至，有媒人到家里来，希望能为哥哥做成大媒。又半年后，哥哥的代课经历结束了。

他想他的大学了。

精神病院开出了“完全恢复正常”的诊断书，于是他又接着去圆他的大学梦了。那一年哥哥读的桥梁设计专业迁到四川去了，而父亲也仍在四川。父亲的工资涨了几元，他也转变态度，开始支持哥哥上大学了。父亲请假到哥哥的大学里去看望了哥哥一次，还与专业领导们合影了。哥哥居然又当上了学生会干部，他的老师称赞他跟上学习并不成问题，同意他从大三第一学期开始续读。因为他在家里自学得不错，大二补考的成绩还是中上。

一切似乎都朝良好的方面进展。

那一年已经是一九六五年了。

然而哥哥的大三却没读完——转年“文革”开始，各大学尤其乱得迅猛，乱得彻底。有人“大串联”去了，有人赴京请愿告状了，有人留在学校打“派仗”。

哥哥又被送回了家里。

这一次他成了“政治型”的疯子。

他见到母亲说的第一句话居然是“妈，我不是‘反革命’！”

哈尔滨也成了一座骚乱之城，几乎每天都有令人震动的事发生，也时有悲惨恐怖之事发生。全家人都看管不住哥哥了，经常是一没留意，哥哥又失踪了，也经常是三天五天找不到，找到后，每见他是挨过打了。谁打的他，在什么情况下挨的打，我和母亲都不得而知。母亲东借西借，为哥哥再次住院凑钱。钱终于凑够了，却住不进精神病院去。精神病人像急性传染病患者一样，一天比一天多，床位极度紧张。盼福音似的盼到了入院通知书，准备下的住院费又快花光了，半年后才住上院。那半年里，我和母亲经常在深夜冒着凛冽严寒跟随哥哥满城市四处去“侦察”他幻觉中的“美蒋特务”的活动地点。他说只有他亲自发现了，才能证明自己并非“反革命”。他又整夜整夜地喃喃自语了，他很可怜地对母亲解释，他不是自己非要那样折磨亲人，而是被特务们用仪器操控的结果，还说他的头也被折磨得整天在疼，母亲则只有泪流不止。在那样的一些日子里，我曾暗自祈祷：上帝啊，让我尽快没了这样的一个哥哥吧！

即使那时我也并没恨过哥哥，只不过太可怜母亲。我怕哪一天母亲也精神崩溃了，那可怎么办呢？对于我和弟弟妹妹们，母亲才是无比重要的。我们都怕因为哥哥这样了，哪一天再失去母亲，怕极了。

哥哥住了三个月的院，花去了不少的钱，都是母亲借的。报销单据寄往大学，杳无回音——大学已经彻底瘫痪了，而续不上住院费，哥哥被母亲接回家了，他的病情一点儿也没减轻。

在接下来的一年里，全家人的精神又备受折磨，整天提心吊胆。哥哥接连失踪过几次，有次被关在某中学的地下室，好心人来报信，我和母亲才找到了他，他的眼眶被打青了。还有一次他几乎被当街打死，据说是因为他当众呼喊了句什么反动口号。也有一次是被公安局的“造反派”关押了起来，因为他不知从哪儿搞到了笔和纸，写了一张反动的大字报贴到了公安局门口……

“上山下乡”运动开始了。

我毫不犹豫地第一批就报了名。

每月能挣四十多元钱啊！我要无怨无悔地去挣！那么，家里就交得起住院费了，母亲和弟弟妹妹们就获拯救了。

我下乡的第二年，三弟也下乡了。我和三弟省吃俭用寄回家的钱，几乎全都用以支付哥哥的住院费了。后来四弟工作了，再后来小妹也工作了，他俩的学徒工资头三年每月十八元。尽管如此，还是支付不起哥哥的常年住院费，因为那每月要八十几元，但毕竟的，我们四个弟弟妹妹都能挣钱了。幸而街道挺体恤我家的，经常给开半费住院的证明。而半费的住院者，院方是比较排斥的。故每年还有半年的时间，哥哥是住在家里的。

有一年我回家探亲，家里的窗上安装了铁条，钉了木板，玻璃所剩无几。镜子、相框，甚至暖壶，一概易碎的东西一件没有了，菜刀、碗和盘子都锁在箱子里。

我发现，母亲额上有了一处可怕的疤，很深，那肯定是皮开肉绽所造成的。我还在家里发现了自制的手铐、脚镣、铁链，四弟的工友帮着做的。四弟和小妹谈起哥哥简直都谈虎变色了，四弟说哥哥的病不是从前那种“文疯”的情况了，而母亲含着泪说，她额上的伤疤是被门框撞的。那时刻，我内心里产生了憎恨。我认为哥哥已经注定不是哥哥了，而是魔鬼的化身了。那时刻，我暗自祈祷：上帝啊，为了我的母亲、四弟和小妹的安全，我乞求你，让他早点儿死吧！以往我回家，倘哥哥在住院，我必定是要去看望他两次的。第二天一次，临行一次。那次探亲假期里，我一次也没去看他，临行我对四弟留下了斩钉截铁的嘱咐：能不让他回家就不让他回家！我的一名知青朋友的父亲是民政部的领导，住院费你们别操心，我要让他永远住在精神病院里！我托了那种关系，哥哥便成了精神病院的半费常住患者……而我回到兵团的次年，成了复旦大学的“工农兵学员”。这件事，我是颇犯过犹豫的。因为我一旦离开兵团，意味着每月不能再往家里寄钱了，并且，还需家里定期接济我一笔生活费。我将这顾虑写信告诉了三弟，三弟回信支持我去读书，保证每月可由他给我寄钱。这样的表示，已使我欣然。何况当时，我自觉身体情况不佳，有些撑不住抬大木那么沉重的劳动了，于是下了离开兵团的决心。

在复旦的三年，我只探过一次家，为了省钱。分配到北京电影制片厂后，我又将替哥哥付医药费的义务承担了。为了可持续地承担下去，我曾打算将独身主义实行到底。两个弟弟和小妹先后成家，在父母的一再劝说和催促之下，我也只有成家了。接着自己也有了儿子，将父母接到北京来住，埋头于创作，在北京“送走了”父亲，又将母亲接来北京，攒钱帮助弟弟妹妹改善住房问题……各种责任纷至沓来，使我除了支付住院费一事，简直忘记了还有一个哥哥。哥哥对于我，似乎只成了

"一笔支出"的符号。

一九七七年母亲去世时，我坐在病床边，握着母亲的手，问母亲还有什么要嘱咐我的。

母亲望着我，眼角淌下泪来。

母亲说："我真希望你哥跟我一块儿死，那他就不会拖累你了……"

我心大恸，内疚极了，俯身对母亲耳语："妈妈放心，我一定照顾好哥哥，绝不会让他永远在精神病院里……"

当天午夜，母亲也"走了"……

办完母亲丧事的第二天，我住进一家宾馆，命四弟将哥哥从精神病院接回来。

哥哥一见我，高兴得像小孩似的笑了，他说："二弟，我好想你。"

算来，我竟二十余年没见过哥哥了，而他却一眼就认出了我！

我不禁拥抱住他，一时泪如泉涌，心里连说：哥哥，哥哥，实在是对不起！对不起……

我帮哥哥洗了澡，陪他吃了饭，与他在宾馆住了一夜。哥哥以为他从此自由了，而我只能实话实说：现在还不行，但我一定尽快将你接到北京去！一返回北京，我动用轻易不敢用的存款，在北京郊区买了房子，简易装修，添置家具。半年后，我将哥哥接到了北京，并动员邻家的一个弟弟"二小"一块儿来了。"二小"也是返城知青，常年无稳定工作、稳定住处。我给他开一份工资，由他来照顾哥哥，可谓一举两得。他对哥哥很有感情，由他来替我照顾哥哥，我放心。

于是哥哥的人生，终于接近是一种人生了。

那三年里，哥哥生活得挺幸福，“二小”也挺知足，他们居然都渐胖了。

我每星期去看他们，一块儿做饭、吃饭、散步、下棋，有时还一块儿唱歌……却好景不长，“二小”回哈尔滨探望他自己的哥哥及妹妹时，某日不慎从高处跌下，不幸身亡。这噩耗使我伤心了好多天，我只好向单位请了假，亲自照看哥哥。

我对哥哥说：“哥，二小不能回来照顾你了，他成家了……”

哥哥怔愣良久，竟说：“好事，他也该成家了，咱们应该祝贺他，你寄一份礼给他吧。”

我说：“照办，但是看来你又得住院了。”

哥哥说：“我明白。”

那年，哥哥快六十岁了。他除了头脑、话语和行动都变得迟钝了，其实没有任何可能具有暴力倾向的表现。相反，倒是每每流露出次等人的自卑来。

我说：“哥，你放心，等我退休了，咱俩一块儿生活。”

哥哥说：“我听你的。”

哥哥在北京先后住过了几家精神病院，有私立的，也有公立的。现在住的这一所医院，据说是北京市各方面条件最好的，每月费用四千元左右。幸而我还有稿费收入，否则即或身为教授，只怕也还是难以承担。

前几天，我又去医院看他。天气晴好，我俩坐在院子里的长椅上，我看着他喝酸奶，一边和他聊天。在我们眼前，几只野猫慵懒大方地横倒竖卧。而在我们对面，另一张长椅上坐着一对老伴儿，他们中间是一名五十来岁的健壮患者，专心致志、大快朵颐地吃烧鸡。那一对老伴儿，看去是从农村赶来的，都七十五六岁了。二老腿旁，也都斜立着树杈削成的拐棍。他们身上落了一些尘土，一脸疲惫。

我问哥："你当年为什么非上大学不可？"

哥哥说："那是一个童话。"

我又问："为什么是童话？"

哥哥说："妈妈认为只有那样，才能更好地改变咱们家的穷日子。妈妈编那个童话，我努力实现那个童话。当年我曾下过一种决心，不看着你们几个弟弟妹妹都成家立业了，我自己是绝不会结婚的……"他看着我苦笑。原来哥哥也有过和我一样的想法！我心一疼，黯然无语，呆望着他，像呆望着另一个自己的化身。

哥哥起身将塑料盒扔入垃圾筒，复坐下后，看着一只猫反问："你跟我说的那件事，也是童话吧？"

"什么事？"我的心还在疼着。

"就是，你保证过的，退休了要把我接出去，和我一起生活……"

想来，那一种保证，已是六七年前的事了，不料哥哥始终记着——他显然也一直在盼着。

哥哥已老得很丑了，头发几乎掉光了，牙也不剩几颗了，背驼了，走路极慢了，比许多六十八九岁的人老多了。而他当年，可是一个一身书卷气、儒雅清秀的青年，从高中到大学，追求他的女生多多。

我心又是一疼。

我早已能淡定地正视自己的老了，对哥哥的迅速老去，却是不怎么容易接受的，甚至有几分慌恐、恓惶，正如当年从心理上排斥父亲和母亲无可奈何地老去一样。

“你忘了吗？”哥哥又问，目光迟滞地望着我。

我赶紧说：“没忘，哥，你还要再耐心等上两三年……”

“我有耐心。”他信赖地笑了，话说得极自信。随后，眼望向了远处。

其实，我晚年的打算从不曾改变——更老的我，与老态龙钟的哥哥相伴着走向人生的终点，在我看来，倒也别有一种圆满滋味在心头。对于绝大多数的人，人生本就是一堆责任而已。参透此谛，爱情是缘，友情是缘，亲情尤其是缘，不论怎样，皆当润砾成珠。

对面的大娘问：“是你什么人呀？”

我回答：“兄长。”

话一出口，自窘起来。现实生活中，谁还说“兄长”二字啊！

大娘耳背，转脸问大爷：“是他什么人？”

大爷大声冲她耳说：“是他老哥！”

我问大娘：“你们看望的是什么人啊？”

她说：“我儿子。”看儿子一眼，她又说：“儿子，慢点儿吃，别噎着。”

大爷说：“为了给他续上住院费，我们把房子卖了。没家了，住女婿家去了……”

他们的儿子津津有味地吃着，似乎老父亲老母亲的话，他一句也没听到。

我心接着一疼，这一次，疼得格外锐利。我联想到了电视新闻的报道：一位崩溃了毅忍力的母亲，绝望之下毒死了两个一出生便严重智障的女儿；也联想到了电影表演界的前辈秦怡在接受采访时讲述的实情——她的患精神病的儿子一犯病，往往劈头盖脸地打她……

中国境内，不是所有精神病患者的家里，都有一个有稿费收入的小说家，或一位著名的电影演员啊！

我又暗自祈祷了：上帝啊，人间有些责任，哪怕是最理所当然之亲情责任，亦绝非每一个家庭只靠伦理情怀便承担得了的！您眷顾他们吧，您拯救他们吧……

这一次，在我意识中，上帝不是任何神明，而是——我们的国……

# 姻缘

## 一

屈指算来，为人夫十三载矣。

人生真是匆匆得令人恐慌。

十七年前，我从上海复旦大学毕业，成为北京电影制片厂文学部最年轻的编辑，曾受到过许多关注的目光。十年“文革”在我的同代人中遗留下了一大批老姑娘，每几个家庭中便有一个。一名二十八岁的电影制片厂的编辑，还有“复旦”这样的名牌大学的文凭（尽管不是正宗的），看去还斯斯文文，书卷气浓，了解一下品德——不奸不诈，不纨绔不孟浪，行为检束，于是同事中热心的师长们和“阿姨”们，都觉得把我“推荐”给自己周围的某一位老姑娘，简直就是一件义不容辞的历史责任……

然而当年我并不急着结婚。

我想将来成为我妻子的那个姑娘，必定是我自己在某种“缘”中结识的。我期待着那奇迹，我想它总该多多少少有点儿浪漫色彩的吧？……也觉得组建一个小家庭对我而言条件很不成熟。我毫无积蓄，基本上是一个穷光蛋。每月四十九元工资，寄给老父老母二十元，所剩也只够维持一个单身汉的最低生活水平，平均一天还不到一元钱。

结婚之前总得“进行”恋爱，恋爱就需要一些额外的消费。但我如果请女朋友或曰“对象”吃一顿饭，那一个月肯定就得借钱度日，而我自己穷得连一块手表都没有。兵团时期的手表大学毕业前卖了，分配到北影一年后还买不起一块新表。

当然，我不给老父老母寄钱，他们也能吃得上穿得上。他们也一而再、再而三地叮嘱我，为自己结婚积蓄点儿钱吧！但我每月照寄不误。我自幼家贫，二十八岁时家里仍很穷，还有一个生病的哥哥常年住在医院里。我觉得我可以三十八岁时再结婚，却不能不在二十八岁时以自己的方式报答父母的养育之恩。对老父亲老母亲我总有一种深深的负疚感——总认为二十八了才开始报答他们（也不过就是每月寄给他们二十元钱）已实在是太晚了，方式也太简单了……在期待中我由二十八岁而三十二岁，奇迹并没有发生，“缘”也并没到来。我依然的行为检束，单身汉生活中没半点儿浪漫色彩。

四年中我难却师长们和“阿姨”们的好意，见过两三个姑娘，她们的家境都不错，有的甚至很好。但我那时忽然生出想调回哈尔滨市，能近在老父母身旁尽孝的念头，结果当然是没“进行”恋也没“进行”爱……

念头终于打消，我自己为自己“相中”了一个姑娘，但由于缺乏“自由恋爱”的实践经验，从开始到结束前后不到半个小时——人家考验我而我不能理解为什么对我还需要考验（又不是入党），误会在半小时内打了一个结。后来我知道是误会，却已由痛苦而渐渐索然，这也足见“自由”是有代价的这话有理。

## 二

于是我现在的妻子某一天走入了我的生活。她单纯得很有点儿发傻，二十六岁了决然地不谙世故。说她是大姑娘未免“抬举”她，充其量只能说她是一个大女孩儿，也许与她在农村长到十四五岁不无关系。她是当年我们文学部一位党支部副书记“推荐”给我的，那时我正写一部儿童电影剧本，我说悠悠万事唯此为大，待我写完了剧本再考虑。

一个月后我把这件事都淡忘了，可是“党”没有忘记，毅然地关心着我呢。某天“党”郑重地对我说：“晓声啊，你剧本写完了，也决定发表了，那件事儿，该提到日程上来了吧？”

倏忽的我觉得我以前真傻，“恋爱”不一定非要结婚嘛！既然我的单身汉生活里需要一些柔情和女性带给我的温馨，何必非拒绝“恋爱”的机会呢！……这一闪念其实很自私，甚至也可以说挺坏。

于是我的单身汉宿舍里，隔三日岔五日的，便有一个剪短发的、大眼睛的大女孩儿“轰轰烈烈”而至，“轰轰烈烈”而辞。我的意思是——当年她的生气勃勃，走起路来快得我跟不上。我的单身宿舍在筒子楼，家家户户走廊里做饭。她来来往往于晚上，下班回家绕个弯儿路过。一听那上楼的很响的脚步声，我在宿舍里就知道是她来了。没多久，左邻右舍也熟悉了她的脚步声，往往就向我通报——哎，你的那位来啦！

我想，“你的那位”不就是人们所谓之“对象”的别一种说法吗？我还不打算承认这个事实呢！

于是我向人们解释——那是我“表妹”，亲戚。人们觉得不像是“表妹”，不信。我又说是我一位兵团战友的妹妹，只不过到我这儿来玩的。人们说凡是“搞对象”的，最初都强调对方不过是来自己这儿玩玩的……

而她自己却俨然以我的“对象”自居了。邻居跟她聊天儿，说以后木材要涨价了，家具该贵了。她听了真往心里去，当着邻居的面儿对我说：“那咱们凑钱先买一个大衣柜吧！”

搞得我这位“表哥”没法儿再窘。

于是的，似乎从第一面之后，她已是我的“对象”了。非但已是我的“对象”了，简直就是我的未婚妻了。

有次她又来，我去食堂打饭的一会儿工夫，回到宿舍发现，我压在铺桌玻璃板下的几位女知青战友、大学女同学的照片，竟一张都不见了。

我问那些照片呢？

她说她替我“处理”了，说下次她会替我带几张她自己的照片来……而纸篓里多了些“处理”的碎片……

她吃着我买回的饺子，坦然又天真。显然的，她丝毫也没有恶意。仿佛只不过认为，一个未来家庭的未来的女主人，已到了该在玻璃板下预告她理所当然的地位的时候了。

我想，我得跟她好好地谈一谈了。

于是我向她讲我小时候是一个怎样的穷孩子，如今仍是一个怎样的穷光蛋，以及身体多么不好，有胃病、肝病、早期心脏病等。并且，我的家庭包袱实在是重哇！而以为这样的一个男人也是将就着可以做丈夫的，意味着在犯一种多么糟糕多么严重的大错误啊。一个女孩子在这种事上，是绝对将就不得、凑合不得、马虎不得的。但是嘛，如果做一个一般意义上的好朋友，我还是很有情义的。当时的情形恰如一首歌里唱的——我向她讲起了我的童年，她瞪着大而黑的眼睛，痴痴地呆呆地望着我……我曾以这种颇虚伪也颇狡猾的方式，成功地吓退过几个我认为与我没“缘”的姑娘。

然而事与愿违，她被深深地感动了，哭了，仿佛一个善良的姑娘被一个穷牧羊人的命运感动了——就像童话里所常常描写的那样……

她说：“那你就更需要一个人爱护你了啊！……”

于是我明白——她正是从那一时刻开始真正爱上了我。

我一向期待的所谓“缘”，也正是从那一时刻显现了面目，促狭地向我眨眼的……

三个月后到了年底。

某天晚上她问我：“你的棉花票呢？”

我反问：“怎么，你家需要？”

翻出来全给了她。

而她说：“得买新被子啦。”

我说：“我的被子还能盖几年。”

她说：“结婚后就盖你那床旧被呀？再怎么不讲究，也该做两床新被吧？”

我瞪着她一时发愣。

我暗想：梁晓声你还有什么好说的？看来这个大女孩儿，似乎注定了就是那个叫上帝的古怪老头赐给你的妻子。在她该出现于你生活中的时候，她最适时地出现了……

十个月后我们结婚了，我陪我的新娘拎着大包小包乘公共汽车光临我们的家。那年在下三十二岁，没请她下过一次“馆子”。

她在我十一平方米的单身宿舍里生下了我们的儿子。三年后我们的居住条件有所改善，转移到了同一幢筒子楼的一间十三平方米的住室里……

## 三

妻子曾如实对我说，当年完全是在一种人道精神的感召下才决定了爱我。当年她想——我若不嫁给这个忧郁的男人，还有哪一个傻女孩儿肯嫁给他呢？如果他一辈子讨不上老婆，不成了社会问题？

我相信她的话，相信她当年肯定是这么想的。细思忖之，完全可能像她说的那样，当年肯真心爱这样的一个穷光蛋，并且准备同时能做到真心地视我的老父老母弟弟妹妹为自己亲人的，除了她，我还没碰着。

她是唯一没被我的“自白”吓退的姑娘……

十三年间我的工资由四十九元而五十几元而七十几元而八十几元、九十几元……

一九九二年年底，我的基本工资升至一百二十五元至今……

十三年间她的工资由五十几元而六十几元、七十几元、八十几元渐次升至一百多元……

一九九二年以前她的工资始终高于我的工资十几元。

一九九二年我们的工资一度接近，但她有奖金，我没有奖金，实际收入仍比我高。

现在，她的单位经济效益不错，实际收入则比我高得多了。

我有稿费贴补，生活还算小康，而我们的起点，却是从一穷二白开始的。

着实过了五六年拮据日子呢！

十三年内，我几乎整个儿影响了她——我不喜欢娱乐，尤其不喜欢户外娱乐，故我们这三口之家，是从来也不曾出现在娱乐场所的。最传统的消遣方式，也不过就是于周末晚上，借一盘或租一盘大人孩子都适合看的录像带，聚一处看个小半通宵。我对豪奢有本能的反感，所以我的家是一个俭约的家，从大到小，没一样东西是所谓名牌。我们结婚时的一张木床，当年五十七元凭结婚证买的，直至去年才送给了乡下来的传达室师傅。我不能容忍一日三餐浪费太多的时间精细操作，一向强调快、简、淡的原则。而她是喜欢烹饪的，为我放弃爱好，练就了一种能在十几分钟内做成一顿饭的本事。她常抱怨自己变成了急行军中的炊事员。我还不许她给我买衣服，买了也不穿。我的衣服鞋子，大抵是散步时自己从早市上买的。看着自己能穿，绝不砍价，一手钱，一手货，买了就走，仿佛自己买的，穿起来才舒适。大上其当的时候，也无悔，不在乎。有时她见我穿得不土不洋，不伦不类，枉自叹息，却无可奈何。而在这一点上，至今我绝不让步。我偏执地认为，一个男人为买一件自己穿的衣服而逛商场是荒诞不经的。他的老婆为他穿的衣服逛商场也是不可原谅的毛病，因为那时间从某种意义讲已不完全属于她，而属于他们。现代人的闲暇已极有限，为一件衣服值得吗？！她当然也因她当妻子的这一种“特权”被粗暴取消与我争执过，但最终还是屈从于我，彻底放弃了“特权”，不得不对我这个偏执的丈夫实行“无为而治”……

儿子一天天长大了，渐渐地我觉得自己老之将至了，精力早已大不如前。每每看妻子，似乎才于不经意间发现似的——她也早已不是十三年前的大女孩儿，脸上有了些许女人才有的岁月沧桑的痕迹……

我最感激的，是我老父亲老母亲住在北京的日子里，她对他们的孝心。我老父亲生病时期，我买了一辆三轮车，专为带老父亲去医院。但实际上，因为我那时在厂里挂着行政职务，倒是她经常蹬着三轮车带我老父亲去医院。不知道老人家是我父亲的，还以为是她父亲呢。知道了却原来是我的父亲，无不感慨多多。如今，将公公当自己的父亲一样孝顺的儿媳，尤其年轻的儿媳们，不是很多的……

我最感到安慰的，是我打算周济弟弟妹妹们的生活时，她一向是理解的，支持的。我的稿费的一半左右有计划地用于周济弟弟妹妹们的生活，我总执拗地认为我有这一义务，能尽好这一义务便感到高兴。在各种社会捐助中，尤其对穷人，对穷人孩子的捐助，倘我哪一次错过，下一次定加倍补上，不这么做，我就良心不安。贫困在我身上留下的印痕太深，使我成为一个本能的毫无怨言的低消费者。旧的家具、旧的电视机，不一定非要换成新的，换成名牌。几千元我拿得出来的情况下，倘我无动于衷，我便会觉得自己未免“为富不仁”了。尽管我不是“大款”，几千元不知凝聚着我多少“爬格子”的心血。没有一个在此方面充分理解我对穷人的思想感情并支持我的妻子，那么家里肯定经常吵闹无疑……

好丈夫是各式各样的，除了吸烟我没有别的坏毛病，除了受过两次婚外情感的渗透我没什么“过失”。我非是“登徒子”式的男人，也从不“拈花捻草”、“招蜂惹蝶”。事实上，在男女情感关系中我很虚伪。如果我不想，即或与女性经年相处，同行十万八千里，她们也是难以判断我究竟喜爱不喜爱她们的。我自认为，我在这一方面常显得冷漠无情，并且我不认为这多么好。虚伪怎么会反而好呢？其实我内心里对女性是充满温爱的。一个女性如果认为我的友爱对她在某一时期某种情况之下极为重要，我今后将不再自私。

最重要的，我的妻子赞同我对友爱与情爱的理解。在这一前提下，我才能学做一个坦荡男人。我不认为婚外恋是可耻之事，但我也不喜欢总在婚外恋情中游戏的一切男人和女人。爱过我的都是好女孩儿和好女人，我对她们的感激是永远的，真的，我永远在内心里为她们的幸福祈祝着……

我对妻子坦坦荡荡毫无隐私，我想这正是她爱我的主要之点。我对她的坦荡理应获得她对我的婚外情感的尊重，实际上她也做到了。她对我“无为而治”，而我从她的“家庭政策”中领悟到了一个已婚男人怎样自重和自爱……

好妻子也是各式各样的。十三年前的那个大女孩儿，用十三年的时间充分证明了她是一个好妻子——最适合于我的“那一个”。

我给未婚男人们的忠告是——如果你选择妻子，最适合你的那一个，才是和你最有“缘”的那一个。好的并不都适合，适合的大抵便是对你最好的了……

信不信由你！

# 我与儿子

我曾以为自己是缺少父爱情感的男人。

结婚后，我很怕过早负起父亲的责任，因为我太爱安静了。一想到我那十二平方米的家中，响起孩子的哭声，有个三四岁的男孩儿或女孩儿满地爬，我就觉得简直等于受折磨，有点儿毛骨悚然。

妻子初孕，我坚决主张“人流”。为此她倍感委屈，大哭一场——那时我刚开始热衷于写作。哭归哭，她妥协了。妻子第二次怀孕，我郑重地声明：三十五岁之前绝不做父亲，她不但委屈而且愤怒了，我们大吵一架——结果是我妥协了。

儿子还没出生，我早说了无穷无尽的抱怨话。倘他在母腹中就知道，说不定会不想出生了。妻临产的那些日子，我们都惴惴不安，日夜紧张。

那时，妻总在半夜三更觉得要生了。已记不清我们度过了几个不眠之夜，也记不清半夜三更，我搀扶着她去了几次医院。马路上不见人影，从北影到积水潭医院，一往一返慢慢地小心地走，大约三小时。

每次医生都说："来早了，回家等着吧！"妻子哭，我急，一块儿哀求。哀求也没用，始终是那么一句话——"回家等着，没床位。"有一夜，妻看上去很痛苦，但她咬紧牙关，一声不吭。她大概因为自己老没个准儿，觉得一次次折腾我，有点儿对不住我。可我看出的确是"刻不容缓"了——妻已不能走。我用自行车将她推到医院，医生又训斥我："怎么这时候才来？你以为这是出门旅行，提前五分钟登上火车就行呀！"反正我要当父亲了，当然是没理可讲的事了。总算妻子生产顺利，一个胖墩墩的儿子出世了。而我半点喜悦也没有，只感到舒了口气，卸下了一种重负。好比一个人被按在水盆里的头，连呛几口之后，终于抬了起来……

儿子一回家，便被移交给一位老阿姨了，我和妻住办公室。一转眼就是两年，两年中我没怎么照看过儿子。待他会叫"爸爸"后，我也发自内心地喜爱过他，时时逗他玩一阵。但那从所谓潜意识来讲是很自私的——为着解闷儿。但心里总是有种积怨，因为他的出生，使我有家不能归，不得不栖息在办公室。

夏天，我们住的那幢筒子楼，周围环境肮脏。一到晚上，蚊子多得不得了。点蚊香，喷药，也是起不了多大作用的。蚊子似乎对蚊香和蚊药有了很强的抵抗力。

有一天早晨我回家吃早饭，老阿姨说："几次叫你买蚊帐，你总拖，你看孩子被叮成什么样了？你真就那么忙？"

我俯身看儿子，见儿子遍身被叮起至少三四十个包，脸肿着，可他还冲我笑，叫"爸……"我正赶写一篇小说，突然我认识到自己太自私了。我抱起儿子，落泪了……

当天我去买了一顶五十多元的尼龙蚊帐。

上海文艺出版社的编辑修晓林初次到我家，没找到我，又到办公室才见着我。我挺兴奋地和他谈起我正在构思的一篇小说，他打断我说："你放下笔，先回家看看你儿子吧，他发高烧呢！"

我一愣，这才想起——我已在办公室废寝忘食地写了两天。两天内吃妻子送来的饭，没回过家门。

从这些方面讲，我真不是一位好父亲。人们都说儿子是个好儿子，许多人非常喜欢他。我的生活中，已不能没有他了。我欠儿子的责任和义务太多，至今我觉得对儿子很内疚，我觉得我太自私。但正是在那一二年内，我艰难地一步步地向文坛迈进。对儿子的责任和自己的责任，于我，当年确是难以两全之事。

儿子爱画画，我从未指导过他。尽管我也曾爱画画，指导一个十几岁的孩子，那点儿基础还是够用的。

儿子爱下象棋，我给他买了一副象棋，却难得认真陪他"杀一盘"。他常常哀求："爸爸，和我杀一盘行不行啊？"结果他养成了自己和自己下象棋的习惯。

记得我有一次到幼儿园去接儿子，阿姨对我说："你还是作家呢，你儿子连'一'都写不直，回家好好儿下功夫辅导他吧！"

从那以后，我总算对儿子的作业较为关心。但要辅导他每天写完幼儿园的两页作业，差不多也得占去晚上的两个小时，而我尤视晚上的时间更为宝贵——白天难得安静，读书写作，全指望晚上的时间。

儿子曾有段时间不愿去幼儿园，每天早晨撒娇撒赖，哭哭啼啼，想留在家里。我终于弄明白，原来他不敢在幼儿园做早操。他太自卑，太难为情，以为他的动作，定是极古怪的，定会引起哄笑。

我便答应他，做早操时，到幼儿园去看他。我说话算话，他在院内做操，我在院外做操。有了我的奉陪，他的胆量壮了。

事后我问他："如果你连当众伸伸胳膊踢踢腿都不敢，将来你还敢干什么？比如看见一个小偷在公共汽车上扒人家腰包，你敢抓住他的手腕吗？"

他沉吟许久，很严肃地回答："要是小偷没带刀，我就敢。"

我笑了，先有这点胆量也行。

我又对他说："只要你认为你是对的，谁也别怕，什么也别怕！"

我希望我的儿子在这一点上将来像我一样。谁知道呢？

总而言之，我不是位尽职的父亲。儿子天天在长大，我深知我对他的责任将更大了。我要学会做一位好父亲，去掉些自私，少写几篇作品，多在他身上花些精力。归根到底，我的作品，也许都微不足道。但我教育出怎样一个人交给社会，那不仅是我对儿子的责任，也是我对社会的责任。

我不希望他多么有出息——这超出我的努力及我的愿望。

# 父亲的荣与辱

## 一

我的父亲是新中国第一代建筑工人。

我上小学前见到他的时候是不多的——他大部分日子不是家里的一口人，而是东北三省各建筑工地上的一名工人。东三省是新中国之重工业基地，建筑工人是“先遣军”。

那时的我便渐渐习惯了有父亲却不常见到父亲的童年。

我上小学二年级那一年，父亲所在的建筑工程公司支援大三线建设去了，父亲报名随往。去与不去是自愿的，父亲愿去。作为新中国第一代建筑工人，他觉得能在国家需要时积极响应号召，是无上之光荣。

父亲远赴外省之前，母亲与他几次发生口角——因为水泥。

当年的哈尔滨，除了道里、道外、南岗三处市中心区，大多数居民社区其实没有什么明显的城市特征可言，多是一片片的泥草房，即黄泥脱坯所建、稻草为顶的一类房子。长江以北的中国农村，家家户户住的基本是那类房屋，而住在哈尔滨市那类房屋内的，大抵是一九四九年以前“闯关东”的农民——我的父亲也是。他们没钱在市中心买砖房，城市也没能力解决他们的住房问题，他们只能自己动手解决，并且也是买不起水泥和砖瓦的。所以，只得在经允许的地段自盖那类泥草房，形成了一片片当年的城中村。

那类房屋，每年都须用黄泥抹一层外墙。因为经过一年的风吹雨打，起先的一层黄泥处处剥落，土坯墙体暴露出裂缝，不再补一层泥，冬季必然挨冻，俗话说“针尖大的缝隙斗大的风”啊。

为使黄泥不易剥落，人们想出了多种多样的和泥之法。普遍的经验，是将草绳头、破袋子、草帘子拆开，剪为等长的干草截搅入泥里。那个年代，除了市中心，农村进城的马车几乎随时随地可见，城里人只要留意，草绳破草袋子草帘子也几乎处处可以捡到，甚至这一户城里人家可以向那一户城里人家借到铡刀，足见某些所谓城里人家“城市化”的历史有多么短。他们转变身份之前，即将某些农具带入城里了，预见必会有用，也将完整的农村生活习惯带入了城里，如养鸡鸭，养猪。少数人家，虽已入城市户籍，却无工作，靠围一块地方养奶牛卖牛奶为生。像在农村时那样，以土坯盖房屋，以泥草维修房屋，对于他们是轻车熟路之事，对于我的父亲也是。

然而成为城里人后，毕竟会学到新的经验以使干后的墙泥结实——将炉灰拌入泥中，便是很城市化的法子。但一户人家烧一冬季的煤，其实煤灰多不到哪儿去，即使挺多也没处堆放，用时还需筛细，挺麻烦，所以此法往往只在和泥抹内墙、炕面、窗台或锅台时才用。在当年，筛细的炉灰对于寻常百姓人家便如同水泥了。

有一年，一座炼铁厂搬迁了，引得许多人家的老人女人和孩子纷纷出动，带着破盆、破筐，推着小车争先恐后地前往。

去干什么呢？

原来铁厂的某处地方，遗留下了厚厚一层铁锈——聪明的人不约而同地想到，将铁锈和到泥里，干后的泥面一定不容易裂，大约也比较能经得住水湿。事实果然如此，并且泥面呈褐色，也算美观。

我家住的虽然是当年的俄国难民遗留的小房屋，但已有三十几年历史了，地基下沉，门窗歪斜，早已失去了原貌，比没住几年的草坯房差多了，而且父亲早已开始用黄泥维修了。

某年父亲和泥抹房子时，母亲又一边帮他一边唠叨不休："说过几次了，让你从工地上带回来点水泥，怎么就那么难？"

父亲那时每每板起脸训母亲："再说多少次也白说！从工地上带回来点儿？说得好听，那不等于偷吗？水泥是建筑行业的宝贵物资，而我是谁？……"

母亲也每每顶他："说来听听，你是谁？你不就是十七岁闯关东过来的山东农民的儿子梁秉奎吗？"

父亲则又不高兴又蛮自豪地说："不错，那是从前的我，现在的我是中国第一代建筑工人，中国领导阶级的一员！休想要我往家里带公家的东西，你那是怂恿我犯错误，有你这么当老婆的吗？"

"抹抹窗台、锅台、炕沿，那才能用多少水泥？怎么话一到你嘴里，听起来就是歪理了呢？"——母亲光火了。

"我把咱家的窗台、锅台、炕沿用水泥抹得光溜溜的了，别人一眼不就看出来了吗？你当别人都是傻子？如果谁一封信揭发到我单位去，班长我还当得成吗？！”——父亲也光火了。

“那就不当！不当又怎么了？我问你，那么个小破班长，不当又怎么了？”母亲则将铁锹往泥堆上一插，赌气不帮他了。

为了修房屋时能否有点儿水泥，父母之间不止发生过一次口角。当年我的立场是站在母亲一边的，我讨厌窗台、锅台、炕沿经常掉泥片儿的情形。依我想来，就是一次带回家一饭盒水泥，几次带回家的水泥，也够将我们的小家很主要的地方抹得美观一点儿的。当年我也挺轻蔑父亲将自己是一名建筑工地上的工人班长太当回事儿的心理，在这点上，我的一辈子与父亲的一辈子完全不同。父亲当他的班长一直当到“文革”开始那一年，以后不曾再是班长了，似乎是他心口永远的“痛”。而我这一辈子，从没在乎过当什么。不管当过什么，随时都可以平静面对被“免去”的结果——只要还允许我写作。而今，连是否“允许”我继续写作都不在乎了。快七十岁的人了，爬格子爬了大半辈子了，一旦不“允许”了，不写就是了。

父亲去往大西南的前一天晚上，母亲又与他闹得很不愉快，还是因为水泥。母亲一边替他收拾东西一边嘟哝：“说走就走，一走还去往那么老远的省份，把这么个破家丢给我和孩子，叫我们往后怎么办？你看这炕沿、窗台，还有外屋那……”

父亲打断道：“还有外屋那锅台是不是？你就别叨叨了，饶了我行不行？我还是那句话，占公家便宜的事我肯定不干，因为我是领导阶级一员，领导阶级得有领导阶级的样子！”

父母之间的不快，使父亲与我们临别前那一个晚上的家庭气氛沉闷又别扭。

我上初一那一年夏季，父亲自四川归来。他这一次探家历时六日，先要从大山里搭上顺路卡车到乐山，再从乐山乘长途公交至成都，而后乘列车至北京，从北京至哈尔滨。当年直达车每日一次，没赶上的话，只得等到第二天。如果还没买到票，那么只得再等一日。直达的票极难买到，父亲便索性一段段向北方转乘。因为根本无法确定到哈时间，父亲就没拍电报要家人去接他。

他是很突然地进入家门的，在晚饭后那会儿。当时家中有位邻居大婶与母亲唠嗑，不唯那大婶，母亲和我们几个儿女也讶然不已。他带回了太多东西，肩挎一截粗竹筒，一手拎一只大旅行袋，还背着一只不小的竹编背篓，很沉。我和哥哥帮他放下背篓，见他的蓝工作服的衣背一片白，像是被面粉搞的。母亲用扫炕笤帚替他扫时，邻居大婶惊诧地说："哎呀妈呀，你家梁大哥太顾家了，还从四川那么远的地方往家里带东西啊！四川不是出水稻不出麦子的省份吗？"

父亲无言地笑笑，没解释什么。等邻居大婶走了，他才说，背篓里那两个布袋子装的不是面，而是白灰和水泥。

母亲心疼地说："你中魔了？那是非往家带不可的东西吗？"

父亲说："是啊，我要了你的心愿，用水泥把咱家窗台、锅台、炕沿抹得光光溜溜的，再把咱家屋刷得白白的，也让你见识见识中国第一代建筑工人干活的质量标准！"

母亲愣愣地看了父亲片刻，一转身，双手捂面无声而泣。

我们的家在父亲连续几天的劳累之下旧貌换新颜了。粗竹筒里装的是十来份奖状，都是晚报展开那么大幅的。花钱仔细得要命的父亲，居然舍得花钱买了十来个相框。当十来份奖状镶入框中，分两排挂在迎门墙上后，简直可以说很壮观，使我们的家蓬荜生辉了。

片警小龚叔叔来家里看父亲，而父亲去工友家尽自己的探家义务去了。小龚叔叔扫视两排奖状，正了正警帽，庄重地敬了个礼说 :“向支援大三线建设的建筑工人致敬！”

母亲将小龚叔叔的敬意告诉父亲后，父亲红着脸笑了，笑得满脸灿烂辉煌……

## 二

一九七八年，我回哈尔滨探家时，父亲已六十二岁了，退休不久。因为家中生活困难，单位照顾他，特批他晚退休两年。退休与没退休，每月差二十元左右呢。

在一九七八年，二十元对任何一户普通城市人家都是一笔某种程度上关乎生活水平的钱数。

自一九六六年“文革”发生，父亲之后两年没再探过家。一九六八年我下乡了，从此与父亲南北分离，天各一方。算来，十余年没见过父亲了。

我又见到了父亲，他已是完全秃顶，蓄着半尺长的白须的老头了。

那年二十九岁的我，不太觉得自己与十年前有什么区别，但父亲变化着实令我暗自神伤，感慨多多。父亲不仅是一个老头了，而且，分明还是一个自卑的老头了。似乎，不知从何时起，他那种“新中国第一代建筑工人”、“领导阶级”之一员的光荣感、自豪感，彻底地被某种外力摧毁了，彻底瓦解了。为了使他开朗一点，起码不那么像个哑巴似的，我经常主动找些话题与他聊，然而他总是三言两语地应付我，一次也没聊成。

一日，家里收到一封挂号信，是父亲单位从四川寄来的——一份“政治问题”审查结论书，写的是关于父亲系“日本特务”之嫌疑罪名，实属诬陷，彻底平反。而关于父亲在“文革”中的错误言行，经复查一一属实，维持原处分。

我大愕，问父亲“日本特务”之嫌是怎么回事？

父亲说，那是因为自己当时说几句日本话跟工友开玩笑惹出的祸，自己是从“伪满时期”过来的人，会说几句日语也没什么值得大惊小怪的啊。

又问“文革”中的错误言行是怎么回事？

父亲说，“停产闹革命”时，他想不通，确实说过一些话，如“普通的工人阶级文化程度都很低，‘文化大革命’跟咱们没多大关系”。“工人都不做工了，农民都不种地了，这么闹下去，天下大乱还只是乱了敌人吗？”

再问：“后来号召‘抓革命，促生产’了，那时怎么没为你平反呢？”

父亲吞吞吐吐地承认，自己当年还先动手打了批斗他的人，一拳将对方打得口鼻出血，这当然激怒了对方，围殴他。他也被激怒了，抡起了铁锨，差点儿劈死了一个人……

这太符合父亲的性格了。不问我也想象得到，父亲肯定因而大吃苦头。

我说：“爸，你别管了。你的事，我管定了。”

我当即复信，在信中写了几多“你们他妈的”、“混蛋王八蛋”之类，总之是骂了个淋漓痛快。信末，限对方在我要求的时间内给我以答复，否则我将亲往四川，找他们当面算账。

如今想来，我还是认为，那是我生平写过的最好的信之一。

当年，那也太符合我的性格了！

为了等到回信，我推迟了回北京的日子。在我要求的时间内，家里收到了回信，是一封措辞极为客气、恳切、委婉地承认他们思想认识有局限性的信。结论嘛，自然是按我要求的那样，一概平反，赔礼道歉。

我将那封信读给父亲听时，他一动不动地仰躺在床上，眼角不停地流下老泪来。

自那以后，父亲“幽闭”般的沉默寡言终于不再，颇愿与我这唯一上过大学的儿子交谈了。有时，甚而是主动的。

于是，我也就了解了他的某些屈辱经历——不是解放以前的，而是解放以后的，并且如果我不讲，弟弟妹妹们是不知道的，连母亲也知之不详。毕竟他是新中国第一代建筑工人，一名获得过许多奖状的优秀建筑工人，故有人暗中保护过他。他被独自派遣到一座山上看仓库，以示惩罚，一年见不到几次人，连猫狗也不许养。倘允许，父亲当年是宁愿与一只小猫或小狗分吃自己那一份口粮的，但绝不允许。父亲也从没有过“半导体”，即或有，在大山里也收听不到什么广播，而且那是更不允许的。也没有任何读物，非说有，便是家信了。家信辗转到他手中，比以往晚一两个月的时间——得由上山拉建材的人带给他，还得那人愿意。

那些年里，父亲自制织针，偷偷下过几次山，向村里的妇女们请教，以极大的耐心学会了织衣物。他寄给我们的线背心、手套、袜子、围巾，便是那几年里的成果。他收集建筑工人们丢弃的破劳保手套，洗净，拆之，于是便有了线。父亲的织技发挥到最高水平，也只不过能织成一件背心。

“文革”结束后，他仍留在山上，反而不愿下山了。到了退休年龄，他还独自留在山上。那时他已有伴了——一只被他发现，由小养到大的狍子。

六十二岁他不得不离开那座山之前，将狍子带往深山放跑了。他说，如果不那么做，狍子肯定会被上山的工人们吃掉的。

他还说，即使在看仓库的那些年，他也完全对得起国家发的那六十二元工资。因为他不只看仓库，还在山坡开出了几大片地，用自己的钱到村里去买菜籽种菜，每隔几个月，山下的工地食堂便会派人派车上山拉走，多时一次能拉走两卡车。

“我好后悔。起初我是瓦工，瓦工最高是七级。我到四川之前就是四级瓦工了，可是偏让我当水泥工班长。水泥工最高才六级。退休前终于给我涨了一次工资，也不过是五级水泥工。同级的水泥工与瓦工相比，每级少几元钱呢。熬到五级，少十几元钱呢！……”

这是我从父亲口中听到的唯一的抱怨话。

他一向说“他们对不起我”，从不说“国家对不起我”。

他是一名新中国第一代建筑工人，工龄三十余年，退休后的工资是四十六元，我记不太清了，总之是四十几元而已。

父亲的身体一向很好，偶生病也就是吃几片药“扛过去”罢了。即使患了癌症，也没住过一天院。何况一检查出来便是晚期，住院也是白住。

我服从他的意愿，使他得以“走”在家中。在一个中午，我与他并躺床上，握他一只手，他就那么静静地走了。

三十余年间，他享受公费医疗待遇的钱，加起来不超过三百元。

我曾问他：“爸，你是工人的年代，工人是我们国家的领导阶级，你觉得你真的领导过什么人吗？”

他沉默良久，才以低缓的语气回答：“我明白你的话是什么意思。但凡是一个国家，哪一个国家没有几种国家说法呢？有些事是不必较真的，太较真没意思。”片刻，又说：“我作为新中国第一代建筑工人，对得起发给我的每一份奖状，这就行了，是不是？”

我反而不知再说什么好了。

我觉得父亲也算是幸运的，退休早，避过了后来千千万万工人的“下岗”。

而如今退休工人普遍一千七八百、两千多元退休金的待遇，父亲却没赶上。这对于他，又不能不说是终生憾事。

如今的退休工人，比如我的弟弟妹妹，时常抱怨“那点儿”退休金太少，根本不够较宽松地来花，但与当年四十几元的退休金比起来，委实是父亲那辈人做梦也不敢想的啊！

联想到新中国第一代、第二代、第三代工人，不禁生出疼惜不已的敬意……

# 当爸的感觉

尽管我的儿子早已不是儿童，而是初二的学生了。尽管我已经纯粹为了自己得以从稿债中解脱，根本不睬他的抗议，拿他做过两次文章了。我常想我若有五个六个儿子就好了，便可轮番地写来，甚至可以在几个儿子之间采取小小的“重点政策”，使儿子们相互嫉妒，认为当老子的写了谁，乃是谁的殊荣，那我不是就变被动为主动了吗？无奈我只有这么一个儿子。

儿子刚刚背着行李，参加军训去了，临走前见我铺开稿纸，煞有介事地思考，犹犹豫豫地写下题目，凑过来瞟了一眼，嘲讽地说：“爸，你真天才。从我这么一个平庸的儿子身上，你竟能发现那么多可写的素材！”

我说：“儿子，向你保证，这是最后一次！”

儿子说：“别保证，用不着保证，你发誓我都不会相信！说相声的常拿自己的‘二大爷’逗哏儿，你跟相声演员们犯的是同一种职业病，我充分理解！”

我说：“好儿子，谢谢。”

他说：“不用谢，因为我也开始写你了，而且已经公开发表了一篇。”

我一惊，忙问：“发在哪儿了？”

儿子说发在班级的墙报上了。

我这才稍稍心定，又严肃地问：“都写了我些什么？为什么不先让我过过目？”

儿子说：“你写我，也没先征得我的同意啊！咱俩彼此彼此。”

我一时很窘，无话可说……

## 半夜解题

儿子中考前的一天，刚吃过晚饭就写作业。写到十点半，还有一道几何题没解出来。我几次主动“请缨”，说儿子你要不要我和你一块儿攻下这道难题啊？几次都遭到儿子颇不耐烦地拒绝。最后我不顾他的拒绝，粗暴参与。结果正如他所料，既干扰了他的思路，也浪费了他的时间，以己昏昏，使儿子昏昏。那时快十二点了，妻说你还让不让儿子睡觉了？他明天还得上一天课呀！不像你，可以在家里睡懒觉！于是我强行收起他的作业卷，以不容争辩的命令口吻，催促他洗漱了躺到床上去。儿子也真是困到了极点，头一挨枕便酣然入眠，而我却不再睡得着。用冷水冲了头，强打精神，继续替儿子钻研那道几何难题。半个小时后，我对陪在一旁织毛衣的妻说——老爸出马，一个顶俩，我解出来了！

博得了妻对我羡佩的一笑。

第二天儿子刚起床，我便从自己枕下摸出作业卷，大言不惭地对儿子说：“这么简单的题你都不开窍？这有何难的？站到床边儿来，听老爸给你讲讲——这两个直角三角形，有两个角相等，还都有一个角是直角。三角相等，故两个三角形全等。而三角形 A 又等于三角形 B，而三角形 B 又等于……”

儿子脸上便呈现出冷笑。

我生气了，说儿子你冷笑什么？你的态度怎么这样不谦虚？

儿子说：“两个锐角相等的直角三角形就全等啊！直角三角形哪儿有这么一条定理？”——于是画图使我明白，它们也有可能仅仅是相似……

我愣了半天，讷讷地说：“难道……是我想象出了这么一条定理？”

儿子说：“反正书上没有，老师也没教过这么一条全等直角三角形的定理。”

我羞惭难当，无地自容，躺在床上挥挥手，大赦了儿子……

我明白——我再也辅导不了儿子数理化了，从那一天起，直至永远。当年我初三下乡，当年的初三数理化教材，比如今的初二教材只低不高。我太不自量，太无自知之明了……

自己承认了这一点，使我内心里涌起一种难言的悲哀。以后，不管他写作业到多么晚，不管他看上去多么需要一个头脑聪明的人的指点和帮助，我是再也不往他跟前凑了……

## 给儿子写信

按照学校的要求，我得给儿子写一封信，而且此事不让儿子知道，更不能让儿子看到。信将在某次活动中，由老师分发给每一名学生，老师希望以这种方式，给普遍年满十四周岁的他们每人一份意外的欣喜。

于是我生平第一次给儿子写信。

我竟不知在这一封信里该写些什么。我不愿在信中流露出我对他的体恤，因为几乎每一座城市里的初二的儿女都如他一样的似箭在弦，他不应格外得到体恤。我也不愿用信的方式鞭策他，因为他早已深知每次在分数竞争中失利，对自己都意味着一种严峻。我不愿在信中写入对他所寄的希望，我不望子成龙，事实上只祈祝他能有幸受到高等教育，而仅仅这一点已使他过早成熟了。他的日渐成熟正是我倍感欣慰的，同时又是倍感悲哀的。刚刚十四岁就开始思考人生和忧患未来的命运，这太令我这个当父亲的替他感到沮丧了。我的少年时代就是从忧患之中度过来的，我真不愿他和当年的我一样。当年的我是因为家境贫寒，如今的他是因为变成了中国的高考制度的奴仆。我极端憎恶这种现代八股式的高考制度，但我又十分冷静地明白——这一点是我丝毫不能流露在字里行间的……

“爸爸，你怎么想了这么久还不写？”

儿子忽然在我背后发问。显然，他站在我背后多时了。我赶紧用一只手捂住稿纸上端——捂住“给儿子的信”一行字。

良久，我听到坐在沙发上的他说：“爸，对不起，给你添麻烦了……”

顿时，我眼眶有些潮……

## 儿子“采访”我

儿子上星期的一项作业是——采访父母。妻上星期几乎每天加班，不加班便上夜校，只得由我来接受“采访”，否则儿子就完不成作业。于是我们之间，有了一次较为特别的谈话。

“你是哪一年下乡的？”

“这还用问？”

“不问我怎么清楚？”

“六八年。”

“哪一年上大学的？”

“七四年。”

“哪一年毕业的？”

“七七年。”

“你经历过坎坷吗？”

“经历过。”

“说说。”

“这还用说？”

“你不说我怎么会知道。”

我凝视着儿子，觉得他是那样的陌生。或者反过来说，他怎么对我一无所知似的？他要了解他问的那一切，是多么的简单！书架上陈列的，几乎每一部书脊上印着我名字的书，都有我的简历。从我的许多篇小说中，都能看到他老爸的身世。而他从来没有触摸过我的任何一部书，那些书对他仿佛根本就不存在。他从来也不曾扫视过那一格书架一眼，我以近二十年的精力和心血所获得的创作成果，在他眼里似乎皆是些没有什么意义的，仿佛一文不值的东西。

“你对你至今的人生满意吗？”——儿子继续“采访”我。

我回答：“谈不上满意不满意，我的人生已经这样了，我习惯了。”

“假如有一件最使你高兴的事，目前而言那可能是一件什么事？”

我几乎是恶狠狠地回答：“你的学习成绩又前进了五名！”

儿子目不转睛地看了我一阵，淡淡地说：“我的采访结束了，就到这儿吧！”

我意识到，我深深刺伤了儿子的自尊心，正如儿子也深深刺伤过我的自尊心一样。于是我联想到了王朔的小说《我是你爸爸》，进而又想，有一个多少具有点儿精神叛逆色彩的儿子，也好。这样的一个儿子，时刻提醒我明白，我只不过是一个初二男生的父亲。除此之外，也许再什么都不是，更没有任何可得意的资本。儿子在家里教我夹起尾巴做人。

读者，如果你的儿子已经初二了，如果你是一位父亲，我想你一定会同意我的看法——和你初二的儿子交朋友并非一件容易的事。有时他似乎将你当作朋友了，其实在他内心里，你仍然只不过是他的父亲。

当爸的感觉在现代是越来越变得粗糙而暧昧了啊！

第三辑

# 野草根祭

# 在西线的列车上

二〇〇五年十一月，我应邀与中国作家协会的几位领导，前往甘肃天水参加一次民间举办的文化活动。但我和他们乘的不是同一车次——家附近就有代理售票处，购票方便。于是我单独踏上了由北京西站始发的、晚上八点多开往西部的列车……

我已经很少乘长途列车了。

二十世纪八十年代初，我曾是前北京电影制片厂组稿组的一名编辑，陕西、甘肃、新疆都在我的组稿范围，所以那两三年内，我每年都是要乘坐几次西线的列车的。那时中国西部的农村人口，乘坐过列车的人还是很少的，成千上万西部农村人口向中国其他省份流动的现象还没出现。那时的中国，还是一个按地理区域相对凝固的中国。西部的农民如果要到外省去“讨生活”，大抵靠的还是他们的双脚，正如西部的一种民歌——“走西口”。

八十年代初曾有一篇口碑极佳的短篇小说《麦客》，描写当年因天灾收获自家土地上的劳动成果的希望已成泡影的西部农民们，为了挣点儿钱将日子继续过下去，成群结队越省跨界，去往中原和南方帮别的省份的农民收割庄稼的经历。在西部蛮荒的山岭之间，在原本没有路而后来被一代一代走西口的中国农民们的脚踩出的蜿蜒的野路上，他们的身影连绵不绝，越聚越多，终于形成一支浩荡的不见首尾的队伍。他们甚至连行李也不带，很可能有的人的家里根本就没有什么可供他带走的行李。除了别在腰间的镰刀和挎在肩上的干粮袋，他们身上再就一无所有。那是中国农民的“长征”，不是为了革命，而是为了糊口。隔年似乎是由兰州电视台将《麦客》拍成了两集的电视剧。在北京，在我的家里，我看得热泪盈眶。记得当年我抑制不住自己的激动，还给电视台写去了一封信，祝贺他们拍出了那么优秀的现实主义风格的电视剧。

当年一个三十岁左右的青年出现在列车的卧铺车厢里，那是会引起一些好奇的目光的。因为当年并不是一切长途列车上都有软卧车厢，硬卧已是某种身份的证明。购票前要经领导批准，购票时要出示单位介绍信。故当年的我，从没觉得从北京到西部是怎样难耐的旅程。恰恰相反，在好奇的目光的注视之下，我常会感到优越。自然，想到西部的“麦客”们，心里边也往往会颇觉不安地暗问自己凭什么？当年我们许多中国人的意识方式真是朴实得可爱啊！两三年后我调到了编剧组，以后竟再没踏上过西线的列车。屈指算来，已然二十余年了。天水市委对文化活动极为重视，预先在电话里嘱咐——我们知道您身体不好，请您一定要乘软卧。我想到我是去西部，买了一张硬卧。

严重的颈椎病使我的睡眠的适应性极差，夜里不停地辗转反侧，令下两层铺和对面三层铺的乘客深受其扰，他们抗议的方式是擂铺板、大声咳嗽或小声嘟囔些不中听的话。我猛记起旅行袋里似乎带了一贴膏药，爬起一找，果然。反手歪歪扭扭地贴到后背上。用自己的手无法贴在准确的位置，但那也总算起到了一点儿心理作用，于是不再折腾……

整个车厢我起得最早，盼着到天水，然而中午一点多钟才到。望着车窗外西部铁路沿线的风光从黎明前的黑暗之中逐渐显现得分明了，我似乎觉得那是我所乘过的车速最慢的一次列车，似乎觉得从北京到西部的途程比二十几年前远多了。列车晚点了一个半小时，然而我知道那不是使我觉得途程变远了的真正原因，真正原因是我自己变了。我早已由当年那个坐硬卧很觉得优越并且心生不安的青年，变成了一个不经常乘坐列车的人了。而中国，也变了。习惯于乘飞机的中国人与乘列车的中国人相比，尤其是与乘西线列车的中国人相比，在许多方面都发生了大的差别。每一座城市都尽量将机场建得更气派、更现代，因为它意味着也是一座城市面向国际敞开的窗口。而每一座城市的列车站，则空前人群云集了。特殊的月份，往往满目皆是背井离乡的中国农民的身影。在大都市的机场候机厅里，一些人感受到的是一种关于中国的概念。而在某些时候，在某些城市包括大都市的列车站里，另一些人将感受到关于中国的另一些概念……

沿线西部的乡村，它们为什么一处处那么小？黄土抹墙的房舍，灰黑的鱼鳞瓦，家门前没有栅栏的平场，房舍后为数不多的苹果树或柿树，坎坡上放着几只羊的老人，在一小块一小块地里干着农活的老妪和孩子……一切仍在诉说着西部的贫困。

八月是萧瑟的季节，西部的景象裸露在萧瑟之中，如同干墨笔触勾勒在生宣纸上的绘画草图。偶见红的瓦和刷了白灰或贴了白瓷砖的墙，竟使我有眼前一亮的感觉。尽管白瓷砖贴在农家房舍的外墙体上是那么不伦不类，然而一想到有西部的农家肯花那一份钱，还是不禁有些感动。西部农民希望过上好日子的那种世代不泯的追求，像杨白劳给喜儿买了并亲手扎在女儿辫上的红头绳——父女俩自是喜悦着。看着那情形的人，倘对人世间的贫富差距还保留着点儿忧患，则就会难免地心生愀然……

从西部返回时，我登上了一次特别的列车。因为还要中途到广州去，故我得在咸阳下车，再去机场。

我持的是一张无座号的票，原以为注定是得在列车上站五六个小时了，却幸运得很，偏巧登上了一节空着几排座位的车厢。刚刚落座，列车已经开动。定睛扫视，发现自己置身在民工之间。手往小桌板上一放，觉得黏。细看桌板，遍布油污，显然很久没被人擦过了。于是顾惜起衣袖来，往起抬胳膊时，衣袖和桌板，业已由于油污的缘故，难舍难分了。于是进而顾惜衣服和裤子，往起站时，衣服和裤子也不那么情愿与座椅分开了，那座椅也显然早该有人擦擦却很久没被人擦过了。好在布袋里是有些纸的，于是取出来细细地擦。最后一张纸也用了，擦过后却依然是污黑的。这时我注意到对面有好奇的目光在默默打量我，便有几分不自然了——一个人和某些跟自己有些不一样的人置身在同一环境，他对那环境的敏感，是会令那某些人大不以为然的。这一点，我这个写小说的人是心中有数的。当年我是连队生产一线的知青时，甚至以同样冷的目光，默默打量过陪着首长对连队进行视察的团部或师部的机关知青。那一种冷的目光中，具有知青与知青之间的嫌恶意味。何况，在那一节车厢里，我和我周围的人们之间的关系，连大命运相同的知青们之间的关系都不是。我将一堆污黑的纸团用手绢兜着，走过车厢扔入垃圾桶，回来垂着目光又坐下了。原来这一节车厢的绝大部分座位也都有人坐着，只我坐的那地方空着两三排座位而已。座位、桌板、窗子、地面、四壁、厕所、洗漱池——那列车的一切都肮脏极了。

我将手绢铺在桌板上，取出一册杂志来看。偶一抬头，见一个站在过道里的中等身材的青年还在打量我。他脸颊消瘦，十一月份了穿得还那么少。一件T恤衫，外加一件摊上买的迷彩服而已。T恤衫的领子和迷彩服的领子，都已被汗渍镶上了黑边。我并没太在意他对我的打量，垂下目光接着看手中的杂志。倏忽后我抬起头来，冲那年轻的民工微微一笑。因为我第一次抬起头时，觉得他的目光并不多么冷。我想，我对一个看我时目光并不多么冷的人，理应做出友好的反应——尤其在这一节车厢里，尤其我以显然的另类的外形而存在于某些同类之间的时候。是的，他们当然是我的同类，或者反过来说也是一样，而且还是我的同胞。而我对于他们，却分明地是一个另类。我所体会的中国，那是一个概念，一个与从前的中国不能同日而语的概念。他们所体会的中国，乃是另一个概念，一个与从前的中国没什么两样的概念。

我笑后，那年轻的民工也微微一笑。果然，他的眼的深处，非但不怎么冷，还竟有几分柔情。但是，它们太忧郁了，所以给予我无底之井一样的印象。倘他好好洗个澡，再穿上我的一身衣服，再将他蓬乱的头发剪剪、吹吹，那么我敢肯定他是一个帅小伙子，尽管我的一身衣服实在是一身普通得很的衣服。他说："你坐过来吧。"我回头看，身后无人，断定了他是在跟我说话，我犹豫。

"你还是坐过来吧！列车从新疆开入甘肃的时候，有一个人喝醉了酒，把那几排座位吐得哪儿都是……"他始终微微地笑着，目光也始终望着我。我早已嗅到了一股难闻的气味儿，只是不清楚发自于何处罢了。他既给了我个明白，我当然不愿继续在那儿坐下去了。

我起身向他走过去时，他用手指着我说："你的手绢！"

而我说："不要了。"

我本打算像他一样站在过道里，但是他请我坐在他的座位上。他一路从新疆坐过来，他说他腿坐肿了，宁肯多站会儿。

那儿的人们都在打扑克，没谁注意我们。

他又说："我知道你是谁，我上初中的时候作文挺好的，经常受到老师的称赞，那时候我以为我将来也能……"

我小声请求说："那就当你不知道我是谁，好吗？"

他点了点头，又问："你看的是什么？"

我说："《读者》。"

我看《读者》历来被不少知识分子耻笑，他们认为真正的知识分子是不应看《读者》这么"低"层次的刊物的。但我以我的眼，在中国知识分子们认为是"高"层次的刊物上，越来越看不到对另一半中国的感受了。那另一半，才是中国的大半！并且，每每因而联想到杜甫《八月秋高风怒号》中的诗句——"茅飞渡江洒江郊，高者挂罥长林梢，低者飘转沉塘凹。”挂罥长林梢，虽高，不也还是茅吗？我倒宁愿入塘凹，毕竟和泥和水在一起，可以早点儿沤烂，做大地的肥料。

年轻的民工听了我的话，点了点头，于是我们一个坐着，一个站着，聊了起来。

他说这一车次是“民工车”，也可以说是西北农民工们乘的“专列”，票价极便宜。在高峰运载季节，有时超载百分之一百几十。因为它实际上已经等于是一次民工专列了，不是民工的人们，是不太愿意乘坐这一车次的……

他说这一节车厢有人吐过，有一股难闻的气味，所以才有几排空座。说别的车厢里，没票站着的人照例很多……

忽然一阵煤灰飘飞过来，我赶紧闭上眼睛低下头去，抬起头时，身上落了一层。年轻的民工身上也落了一层黑白混杂的煤灰，他却懒得抚一下，笑笑，说车上烧水的不是电炉，仍是大煤炉，显然又有乘务员在捅火了……

他说，他心情很不好——他本在新疆打工来着，同村的人给他传了个信儿，有一个省的煤矿急需采煤工，于是他匆匆前往，去晚了怕就没有缺额了。说一个多小时以前，他透过车厢望见了他的家园——西线铁路旁的一个小小的自然村……

他说，他的父亲几年前死于矿难。几年前死一个采煤的农民工，矿主才补偿给一万多元钱。他说他没下车回家去看一看，也是因为怕见了母亲不知该怎么说。他说家里只有母亲、妹妹和爷爷，爷爷已经老得快干不动地里的活儿了，而妹妹，患着精神病……

我，竟寻找不到一句适当的话可以对这个年轻的农民工说，连一句安慰他的话也寻找不到……

“现在，死一个矿工，真的补偿给二十万吗？农民采煤工和正式的矿工，都能一律平等地补偿给二十万吗？……”

我从他的话中，听出了他对平等的极强烈的要求，以及对二十万人民币的极强烈的渴望。

“这……我不是太清楚……也许……是的吧……可是现在，矿难发生的次数太频繁了，你最好还是不要去……非去……没有比当采煤工挣钱更多的活了吗？……”我语无伦次，反问着不是人话的话。

“还用问吗？对我们，那是肯定没有的喽！”不知何时，玩扑克的都不玩了，都在注意听我和那年轻的农民工的谈话了。

“我记得有一份报上登过赔偿的数额……”“一条农民采煤工的命是赔偿二十万的，这肯定没错！”“你怎么能那么肯定？是法律条文了吗？什么时候公布过了？”“不会二十万那么高吧？现如今车祸撞死一个农民，法院一般不是才判赔偿几万吗？”“那是车祸，和采煤不同的。目前正是国家发展需要煤的时候，所以咱们的命也就比以往值钱多了！……”“会不会一个省一个价呢？”年轻的农民工说，他和他们是一起的，都是要去同一个省的矿区的。有的是打工时认识的工友，有的是在这一次列车上认识的。他毫不客气地将别人拽了起来，自己坐在腾出的座位上了，接着又说：“但愿我们去的地方，一条命也值二十万元……”

被他拽起来的民工说：“有人倒下去，那就得有人补上去，好比冲锋陷阵，得有下定决心不怕牺牲的精神！”那样子，那语气，很是光荣，还有点儿悲壮。我听着，心里不禁联想到了两句诗——“风萧萧兮易水寒，壮士一去兮不复还！”我问：

“你们要去的是哪个省？”他们相互望着，交换着耐人寻味的眼色，就都不说话了。分明地，他们不愿让我知道，仿佛那是一个他们共同的福音，也是一个需要他们共同保守的大秘密，一旦被旁人所知，尤其是被我这样的旁人所知，大好的机会就会遭到破坏似的。

为了取悦于他们，我说：“啊，我想起来了，有一份文件，规定了哪儿都是二十万，一律平等。”他们都很信我的话，脸上的疑虑一扫而光，就都高兴起来。这个说有文件就好，那个说平等才对。他们一高兴，对我的态度也亲近了，请我嗑瓜子，吃花生、枣子，还向我敬烟。我没吃什么，却极想吸烟，又没有烟了，便很高兴地接过了烟。一只按着打火机的手及时向我伸过来，我刚吸了一口，劣质的烟呛得我几乎咳嗽……

后来玩扑克的人接着玩扑克，那眼神忧郁的年轻的农民工也不再开口了，呆呆地望着窗外想他的心事。没人理睬我了，我低下头仍看我的《读者》。

# 儿子·母亲·公仆和水

在福建省东山县，曾听人讲到这样一件事——当年，谷文昌们初登岛时，岛上生存条件非常恶劣，沙患严重，草木不生。而且，极其缺水，一遭旱灾，十井九枯。水之宝贵，如同西部水源稀少之地。

那一种情况下，即使某井未干，井水也浅得可怜。可怜到什么程度呢？以分米厘米言之，非夸张也。

这么浅的水，又如何汲得上来呢？

办法自然是有的。

便是——用一条长长的绳索，将小孩子坠下井去。孩子须在井上脱了鞋，以免鞋将浅浅的水层踩脏了。孩子被坠下时，还须怀抱一个瓷罐，内放小饭勺一只。孩子的小脚丫一着井底，便蹲下身去，用小勺一勺一勺地往罐里装水。对于孩子，那意味着是一项重要的工作，也可以说是一项重要的任务。仿佛汤锅里注油，要以很大的耐心和很大的使命感来完成，急不得的，急也没用。罐里的水满了，便被吊上去，由守在井口的大人，倒在盆里或桶里。每每的，吊上几罐水去以后，井水被淘干了，孩子就得耐心地等着水再慢慢浮现一层。孩子只能蹲着等，或站着等。那时，守在井口的大人，也只能更加耐心地等。如此这般，吊上去的水差不多够一家人做饭和喝的了，总需一个来小时的时间，或更长的时间。而孩子那一双赤着的小脚丫，是没法儿不始终踩在冰凉的井底的。水干了，踩着的是冰凉的井泥。水又慢慢渗出一层来了，那么小脚丫便在冰凉的井水里浸泡着。而有时，井口等水的大人们会排起长队来，那么就需有几个孩子也排在井边，轮番被坠下井去。从井里被用绳索扯上来的那个孩子，他解开绳子，一转身就会朝有沙子的地方跑去。朝阳地方的沙子毕竟是温暖的，孩子一跑到那儿，就一屁股坐下去，将两只蹲麻了而且被冰凉的井水渗红了的小脚丫快速地埋入温暖的沙中……

有一户人家的房屋，盖在离别人家的房屋挺远的地方。这一户人家的屋后有一口井，某年大旱，那口井很侥幸地将干未干。孩子的父亲到外地打工去了，只有母亲和孩子留守家中。那母亲，别无他法，不得不天天将自己六岁的儿子坠下井去弄水。一日傍晚，孩子在井下灌水，母亲却由于又饥又渴，还病着，发着烧，竟一头栽倒井旁，昏了过去。孩子在井下上不来，只有喊，只有哭。喊也罢，哭也罢，却没人听到。天渐渐地就黑了，孩子既不喊也不哭了，因为他的嗓子已喊哑了，因为他的眼里已哭不出泪来了。后半夜，母亲被冷风吹醒了，这才急忙将孩子拽上来——孩子浑身栗抖不止，连话都说不出来了。然而，却紧紧地搂抱着罐子，罐子里，盛着满满的水……

后来那孩子的双腿，永远也站不直了。

当年东山县的县委书记也听说了这一件事。

谷文昌于是对县长发了一个毒誓："如果我们县委不能率领东山百姓治除沙患，不能让东山的老百姓不再为一个'水'字发愁，那么就让我哪一天被沙丘活埋了吧！"

当然，他并没有被沙丘活埋。

因为在他任县委书记的十四年间，任劳任怨，百折不挠，制服了东山县的沙患，也为东山县的百姓彻底解决了用水难题……

我听罢，始而震动，继而感动。

何谓公仆？

公仆者，爱百姓如爱父母者也。

倘有此情怀，皆大公仆也。然这等"情怀"，不会是天生的啊！前提是对百姓的疾苦，耳能听到，眼能看到。听到了，看到了，还要心疼。谷文昌是一位农民出身的县委书记，在河南任区委书记时，便天天与百姓们发生着亲密的接触，将为人民服务视作己任。恤民之情，在他是一件自然而然之事，本无须别人教导。故他到了东山当了县委书记以后，凡十四年间，公仆本色，一日也不曾改变过。这是与现在的某些官员很不同的。现在的某些官员，往往一天也没有与百姓的生活打成一片过，仅靠走通了"上层路线"，平步青云地就成了"公仆"了。"公仆"倒是越做越大，离百姓们却是越来越远，最后远到老百姓想见他们一面简直比登天还难。这样的些个"公仆"，有耳，那耳也只剩下了一个功能——专听上峰旨意和官场动向。有眼，那眼也不再能看得到别的，仅见上峰的脸色如何和官场的晋升诀窍而已。对于百姓之疾苦，自己有眼视而不见，自己有耳听而不闻，彻底麻木，心冷如石、如铁，连点儿一般人的恻隐最终都丧失了。别人的耳听到了，别人的眼看到了，告知他们，他们往往陡然变色，心特烦……

在某大学，当我将孩子、母亲、公仆和水的一段往事讲给学子们听后，台下有一名女生忽然哭了。人皆讶然。我问她为什么哭，答："和半个多世纪前东山县那个男孩类似的经历，我也有过。只不过我被母亲用绳索坠下的不是深井，是我们西部人家的水窖。我们那儿根本打不出井水来，家家户户的水窖里蓄的是冬季的雪水和夏季的雨水。只不过我比那个男孩幸运，因为我的经历是绳索断了，我重重地摔在水窖里，磕掉了两颗门牙……"

人皆由讶然而肃然。高坐台上的我，怔愣许久，不知究竟该说几句什么话好。

数月后，在一次关于中国农民生活现状的研讨会上，我听一位专家介绍——目前仍有百分之四十六的农村没有自来水，其中半数左右的农村饮用水，含有对人体有害甚至有严重危害的物质，而由于农村的生产方式早已由集体化转变为个体化，国家对农业机械化的直接扶植，其实已由从前的百分之零点四减少为百分之零点三五……

我又一次受到震动。要让农民也喝上放心的水，也不再为喝水发愁，中国该需要多少谷文昌？抑或，需要支出多少钱？没有那么多谷文昌，有那么多钱也好啊！然而细细想来，在谷文昌们和钱之间，中国是都有些缺少的吧……

# 野草根祭

“二……二……二小……走……了……”

电话里，从哈尔滨那端，传来二小的哥哥大小口吃的声音。很轻，但清楚，似乎就在我家楼外给我打电话。

那是春节长假结束不久的一天。夜里我被颈椎病折磨得翻来覆去，天亮后头晕沉沉的。十点多钟，又平躺在硬板床上。电话铃响了几下，我懒得接，它也就不再吵我。不料我将要睡去，又响了……

头还在晕。

我微闭着双眼问：“走了？哪去了？……”北方民间有句俗话是：“破车子，好揽载。”指的便是我这一种人。

我常想，自己真的仿佛一辆破车子，明明载不了世上许多愁，许多忧，些个有愁的人，有忧的人，却偏将他们的愁和他们的忧，一桩桩一件件放在我这辆破车子上，巴望我替他们化之解之。

而我，只不过是个写小说的，哪里能改善“草根族”们的生存难题呢？

但我又清楚，除了我，他们也没谁可求了。

我同时清楚，他们开口求我之前，内心里其实是惴惴不安的。他们也明白我其实并没多大的能力。他们往往是在山穷水尽的情况下，向我发出最后的求援吁呼。好比溺水之人，向岸上的人们伸最后一次手。而我，乃是岸上的人们中，和他们有种种撕扯不开的故旧关系的一个。倘我不相应地也伸出手去，他们就会放弃挣扎。我伸出我的手，他们便会再扑腾一会儿。我虽多次伸出过自己的手，却没有一次真正握住过他们谁的手，一下子将谁从生存的灭顶之灾拉上岸过。他们的命况出了转机，主要还是靠自己的不甘沉没救了自己。

“别急，让我们一块儿来想想办法！”

“天无绝人之路，我尽力而为！”

这是我每说的话。

而这就意味着我做了承诺。于是便揽了一件难事，于是自己便有了种烦和忧。于是，也便似乎有责任和义务。

我第一次听到“草根族”这一种说法，是十几年前一位从国外进修电影回来的朋友说的。他对我的一篇小说很感兴趣，改编成了电影剧本，且决心一试牛耳，亲自执导，那剧本起了个名——《野草根》。

我问：为什么起这么一个名字？

他说：你小说写的是底层民生形态啊。

我说：那就叫《底层》不好吗？

他认为太直白了，没意味。

我说：高尔基曾写过一部话剧剧本，便是以《底层》这一剧名公演的。

他说：国外目前将底层民众叫“草根族”，你的小说反映的是底层的底层的民生，自然生活，于社会关怀半径以外的群体，所以该叫《野草根》，我挺欣赏我起的名字的，你依我吧！

我见他那么坚持，依了他。

但他没拍成，剧本审查时被“枪毙”了。在我预料之中，在他预料之外。

后来，中国对于底层的底层之民众，有了一种比较有人情味的说法，叫“弱势群体”。这说法中包含着关注与体恤的意思，然而依我的眼看来，中国之“弱势群体”，或曰“野草根”族，似乎不是在减少着，而是在增多着。有时，则减与增的现象并存，这一行业在减着，那一行业在增着，此地减，彼地增。而谁一旦被列入增数里，谁的命况也就比底层更低了一层，谁也就由“草根族”而“野草根”了……

二小是“野草根”二十余年了，死前无栖身之所，自然也就没家，还往往没工作。其实只有小学文化的他，除了摆摊，要在当今职业竞争严酷的社会找到一份能相对干得长久的工作，几乎是不可能的。

我的父母去世以后，我将我的哥哥从哈尔滨的一所精神病院接到北京。我不想哥哥在精神病院度过一生，所以在西三旗买了房子，决心给哥哥一个属于他自己的家。我在那样打算时，心中便想到了他。我的哥哥是由我的四弟和二小护送至北京的。

我当时对他说：“这儿既是大哥的家，也是你的家。你和大哥，以后相依为命吧！我把大哥托付给你照顾最放心。”

三室一厅敞敞亮亮的房子，一切家具皆新。电视机、影碟机、冰箱、洗衣机，应有尽有。还有电子琴，还有空调，还有摆满了书的书橱，还有文房四宝，还有象棋、围棋和扑克……

我的哥哥和他喜出望外，高兴得合不拢嘴。

我给二小每月的工资是七百元，生活费由我来负担。

哥哥吸烟很凶，二小也是烟民，且有那么点儿酒瘾。

我说："二小，这都没关系的，只要适量，不危害身体。烟酒你千万不要花自己的钱买，二哥会经常给你们送来，断不了你们的就是。你的工资基本不必动，存着，一年就是八千多。几年后，二哥再支援你一笔钱，你也算有点的本钱可以去扑奔你的人生了！"

二小诺诺连声。

从此我觉少了两桩心事，一份是牵挂于我的哥哥，一份是牵挂于二小。两份心事，都曾使我彻夜难眠过。

他把我的哥哥照顾得很好，凭良心讲，比我这个当亲弟弟的做得还好。我对二小的感激也常溢于言表。那小区有人曾私下向我告二小的状，说哪天哪天，将我的哥哥锁在家，自己去小饭店里喝酒；哪天哪天，二小才从外边回小区。言下之意，是不定往什么不干净的地方鬼混去了。

而我总是笑笑。

终日与我的哥哥相厮守，我理解二小那一份大寂寞，尽管我常去陪他们住。我便每每提醒："二小，北京和别的城市一样，也有进行非法勾当和肮脏交易的场所，也有专布泥潭设陷阱诱别人入彀的阴险邪狞之徒，要善于识别，避免沾染其污其秽。"

二小便也每诅天发誓般地回答："二哥，我能做让你失望的事吗？”

二小确实没做过那样的事，起码在北京是没做过的。起码，没使我起过疑心。有人又背地里向我告他的状，说他剪一次发花了八十多元。我便问他：“二小，你的头发，是花八十多元剪的吗？”

二小说：“是啊，二哥。”

我又问：“头发不过就是一个人的头发，咱们男人花那么多钱剪一次发干什么呢？”

二小说：“二哥，我才四十多岁，头发就快白一半了。不染，我自己照镜子的时候都觉得伤心。用好点儿的染发剂，就那个价。”

我想了想，掏出一百元钱给他。

我说：“二哥是舍不得你花自己的钱，你以后剪发的钱，二哥补贴给你就是了。”

二小哪里肯接呢！

我逼他收下，并说：“就这么定了。”半年后，他带我的哥哥回了一次哈尔滨，我给他带上了两千元钱。十天后，他们回北京，两千元全花光了。

我的弟弟妹妹因而对我有看法，抱怨花钱太大手大脚了。我说：“我们的哥哥三十余年在精神病院，几乎没快乐过。二小二十余年人生无着落，受了不少苦。哥哥是我们的手足，二小是老邻居的孩子，我和你们都因有家庭有工作而不能全身心照顾哥哥，二小替我们照顾着了。我认为他照顾得很好，我们应该永远感激。平均下来，他和大哥，也不过每人每天才花一百多元，不算多，不能以平常过生活的标准要求他们这一次的花费。”

回到北京，二小内疚地对我说：“二哥，我花钱花得太冒了，连车票都是借钱买的，你扣我一月工资吧！”

我说：“别胡思乱想。车票钱，二哥还。但你以后应该明白，二哥虽有些稿费收入，却来之不易啊！何况我也不是为了稿费才写作。总之我认为，节俭是美德。你不是靠技能挣钱的人，花钱大手大脚，会给别人不好的印象。”二小脸红了。

我批评二小，一向点到为止。二小对我的话，也从不当耳旁风，一向铭记于心。这使我欣慰。

一年多以后，二小有日忽然对我说：“二哥，你救人就救到底吧？”

我不禁一怔。

二小紧接着说：“二哥，给我找个老婆，替我成个家吧！”

我沉吟起来。

“二哥，求求你了！我都四十多岁了，还不知道女人的滋味啊！我有时喝酒，那是借酒浇愁呀！”

我心一阵难过。

我说：“那你们住呢？”

二小说：“这不三个房间吗？我们两口子一间卧室，大哥一间，空一间你来时住，我们永不侵占。”

我说：“二小，像你目前这种情况，哪个能自食其力的女人肯嫁给你呢？如果你们以后有了孩子，如果以后你们一家三口再陷入生活的困境，我除了赡养大哥，除了周济弟弟妹妹，再负担起对你们一家三口的责任来，二哥还有一天安心的日子过吗？别忘了，二哥也五十多了，你断不可以有一生依赖于我的念头！二哥请你来照料大哥，不过是权宜之计。对你是，对大哥也是。大哥今后还是要由我来陪过一生的，而你要在五年内攒下笔钱，也要养好身体。五年后，你才四十七八，身体健康，到时二哥再帮你一笔钱。那时，你考虑成家才现实啊！……”

二小于是默然，也有几分怅怅然怏怏然。

我这辆“破车子”，已越来越感超载的滞重，实在不敢再让二小拖家带口地坐在我这辆“破车子”上了。那么一种情形，我连想一想都慌恐。

那一年的春节刚过，大小突然来到北京，预先也没打个招呼。两天后，我被二小找去，说有急事。

见了面，兄弟俩坐我对面，大小给了我一张诊断，郁郁地说：“二哥你看咋办？”

那诊断上写着二小的肺结核又复发了，且正有传染性，大小将二小接回了哈尔滨。

我给他们带上了一万元钱。

几天后，我说服哥哥，住进了朝阳区的一家精神病托管医院。半个月后，惦着二小，又托人捎回了五千元钱。

一个月后，二小从哈市郊县的一所医院打来电话，说住院费每天就得三百多元。

我明白他的意思，再次电汇五千……

又住院了的哥哥，我每去看他，他总说：“二小怎么还没从哈尔滨回来？写信告诉他，我想他了，让他快回北京来接我出院。”

我说：“哥呀，二小的病还没养好啊！他怕传染你啊！”

哥哥说："我不怕。写信太慢了，打电话催他回来！我不怕传染上肺结核。"

我暗想，我的老哥哥呀，你不怕，我怕啊！你精神不好，再患上肺结核，连住院都没医院收了，我可该怎么办！

再后来，好长时间没有了二小的音信。

再再后来，听说他在这儿或那儿干点儿活。

别人曾替我分析，说二小兄弟俩的话未必可信，暗示我那也许是他们兄弟俩做的一个圈套，多骗我些钱去先花着……

我不信。

我始终觉得二小他本质上是我家老邻居的一个好孩子，始终认为他的心地是善良的。

我相信我的感觉。

即使他们真的骗了我，我也宁愿原谅他们，因为那肯定的是由于他们面临难言的困境。

终于有一天我接到了二小的电话，他说他找到了一份工作，挣钱很少。

我问多少钱？

他说才三百多元。

我问累不累？

他说倒不累，替人看一个摊子。

我问住哪儿？

他说还能住哪儿呢？又厚着脸皮住妹妹家了呗！

他说："二哥，我想回北京，还照顾大哥。"

我说："二小呀，大哥适应了医院，出出入入，一反一复的，对大哥的病情不好啊！"

电话那一端，二小沉默良久后，低声问："二哥，你是不是不想管我了？"

这一问，也将我问得不禁沉默了片刻。

"二哥，你要不管我，我活着就没什么指望了。"二小的声音，悲悲切切。

我反问："二小缺不缺钱？"

二小说："二哥我给你打电话不是要钱的意思。你寄来的钱，我还有两千多元没花。"

我说："二小听着。一名下岗工人的最高抚恤金，也不过三百多元，而且他们有子女，要供子女上学。你挣的确实少，但你毕竟已开始自食其力。这是你在社会上的起点，你应该坚持一个时期。如果你确实缺钱了，就打电话告诉二哥，但别一开口五万十万地要，那二哥给不起。二哥出一本内容全新的书，也不过才三万左右的稿费。但五千六千,二哥是舍得寄给你的。而且，依二哥算来，当可使你过上半年。市郊租一间有家具的小房，不过二百元；一个人每月四百元生活费，也算可以了。所以，我再给你寄钱，半年内如果没有特殊情况，你就不应该再开口向我言钱。相当一段时间内，二小你一定要学会节俭地活着。你照顾大哥的一年多，二哥曾给你开的工资，你是怎么都花掉的呢？……"

那一天，我在电话里批评了二小。

最后我说："我不愿你流落街头，但哪一天你真的陷入绝境，那也不要怕，有你二哥呢！"

二小在电话那端情绪乐观了。

他说："二哥，这我就放心地活着了。"

后来大小来电话麻烦我，我关心地问起二小，他说二小在烧锅炉，一个月挣四五百了。

我说："那不是很累的活吗？他是肺结核病人，怎么干得了呢？"

大小说："现在取暖都改烧油了，不烧煤了，不累。但是责任大，要留心看仪器……"

我心遂安。

又很久没有二小的消息了。

我想，他在社会上四处乞讨似的讨的只不过是一种能够生存下去的最低等的机会而已，最终恐怕还是觉得，陪伴一个老邻居家的患了三十余年精神病的大哥，依赖一个写小说的二哥提供住处和饭食，并每月给开七百元"工资"，对于他更是一种较好的活法。即使一辈子，即使我这位"二哥"曾明确告诉他，指望我给他娶个老婆成个家，是多么不现实的念头。

但我却不像他那么想。我一直很理性地认为，陪伴我的哥哥无论对于二小还是对于我的哥哥，都只能是一个时期内的事。当时二小瘦得可怜，身体状况看去比我的哥哥还差。倘我不做出那一种安排，他是活不了多久的。事实上，他当时正是处于人生的绝境。

我希望他早有人生的另外一种出路，而我的哥哥的余生由我来负责。

我觉得他总算是找到了出路。

所以当大小在电话的那一端告诉我"二小走了"，我一时不能明白大小的话，以为二小不干那份烧锅炉的活，离开哈尔滨到外地谋另一种人生去了。我竟有些生气，又说："那活不是不累吗？不是工资也不算低吗？不是还有住处吗？他跟你商议了吗？你也同意他走了吗？……”

我接连问过之后，大小在电话那端沉默。

“你怎么不说话？”

我断定大小也是同意了的，直想在电话里冲大小发火。

不料大小想快而快不了地回答：“二……二小……死……死了……我……我们刚……刚把他……火化……”

我一时握着话筒呆住，头也突然的不晕沉了。如同被医术很高的中医师，将一枚银针深深地捻入我足以使头脑清醒的穴位。它仿佛扎在我一根极敏感又脆弱的神经上了，而那一根神经每使我对生死之真相陷于宿命的悲观。大小的声音，听来平静，似乎在通知我一件纠缠了他很久，也使他很累很无奈而原本不过是“死马当作活马医”之事终于彻底结束了，一了百了。“野草根”们的亲情，并不像我从前想象的那样更加温爱更加密切，事实上好比干旱来临时非洲原野上的野生动物，各顾各成了一种不二法则。我低声问：“怎么才告诉我？”连自己都听出了只不过是自言自语。

大小反问：“二哥，早两天告诉你，你能为他，回哈尔滨吗？”声音仍那么的平静。

奇怪这话，大小倒说得一点儿都不口吃了，仿佛是背了一百遍的一句台词。我，只有缄默。

大小告诉我，二小是这么死的——端着他的一大瓶茶水，下什么跳板，一失足，从高处摔下，头脑撞磕于水泥台的尖角，在医院里躺了三天，头肿大得不成样子，三天后就死了。

死前，嘴里还念叨着：“北京，大哥，二哥……”我心一阵酸楚。

现在，二小已经死了两个多月了。

我去医院探视我的哥哥，他必问："给二小打电话了吗？他什么时候来北京？不是让你告诉他我不怕传染上肺结核吗？……"我只有支吾搪塞而已。

野草根，野草根，野草根啊，人命一旦若此，那是如我这样的一个写小说的二哥，既陪伴不起，也实际上安慰不了的。

有时我放眼望我们这个有着十三亿之众的国家，"草根族"竟比比皆是起来。

似乎，还在一茬一茬地增多着。

而我，由于来自于他们，便从根上连着他们的根，斩不断，理还乱。优越于他们，却也只有徒自地优越于他们，并一再地辜负于他们。

我这辆"破车子"，怎载得了人世间许多困苦艰难？

也只有写下些劳什子文字，祭我和他们曾经同根的那一种破絮般的人生之缘，并安慰一下自己的无能为力……

# 玉龙

玉龙是我家五十年前的近邻卢叔、卢婶家的长子。当年我刚入中学，他才上小学。我们那一条小街，是哈尔滨市极破烂不堪的一条小街，土路，一年几乎有一半的时间是泥泞的。当年我们那个同样破烂不堪的院子九户人家，共享一百多平方米的院地，而我家和卢家，是隔壁邻居，我家二十八平方米，他家约二十平方米。我曾在我的小说《泯灭》中，将那条小街写成“脏街”。我也曾在我的小说《一个红卫兵的自白》中，写到“卢叔”这样一个不幸的人物。那是一部真实与虚构相交织的小说。这样的小说，按普遍经验而言，其中具有了虚构成分的人物本是不该写出真实之姓的，然而我却据真所写了——当年的我，哪里有什么写作经验呢？

真实的卢叔，亦即《一个红卫兵的自白》中的“卢叔”的原型，可以说是一个美男子。我家成为卢家的近邻那一年，卢叔三十六七岁。当年我还没看过一部法国电影，现在自然是看过多部了。那么现在我要说，当年的卢叔，像极了法国电影明星阿兰·德龙。

卢叔参加过抗美援朝，这是真实的。

卢叔复员后曾在铁路局任科级干部也是真实的。

不久，卢叔被开除了公职，没有了收入，成了一个靠收废品维持生计的人，这也是真实的。如今看来，那肯定是一桩受人诬陷的冤假错案。年轻的科长，有抗美援朝之资本，还居然有张欧化的脸，是美男子，肯定有飘飘然的时候。那么，被嫉妒也就不足为怪了。

卢婶当年似乎大卢叔两岁，这是我当年从大人们和他们夫妻俩开的玩笑中得知的。她年轻时肯定也是个窈窕好看的女子，身材比卢叔还略高。我们两家成邻居那一年，她已发胖，却依然有风韵。但，那显然是种根本不被她自己珍惜的风韵。底层的，丈夫有工作的人家，日子尚且都过得拮据，何况她的丈夫是收废品的。想来，她又哪里有心思重视自己的风韵呢？

好在卢婶是个极达观的女子、妻子和母亲。她一向乐盈盈地过他们一家的穷日子，仿佛穷根本就不是件值得多么发愁的事。用今天的说法，全院的大人当年都觉得她的幸福指数最高。那一种幸福感，是当年的我根本无法理解的。现在的我，当然已能完全理解——与卢叔那样一个美男子成为夫妻，在底层的物质生活极其匮乏的年代，在对物质生活的憧憬若有若无的她那一类女人心里，大约等于实现了第一愿望吧？何况，卢叔是个有生活情趣的男人，还是个懂得心疼自己妻子的丈夫，同院的大人们常拿这样一句话调侃他——“这是留给你妈的，谁偷吃我打谁！”而所留好吃的，往往是难得一见的一点儿肉类食品罢了。

玉龙是卢家长子。他的姐姐叫玉梅，弟弟叫玉荣。玉荣之下，还有两个妹妹。他最小的妹妹，是我们两家成为近邻之后出生的。有一点是过来人对从前年代有时难免怀旧一下的理由，那就是比之于如今的孩子们，从前的孩子们真的格外有礼貌。这不仅体现于他们对于大人的称呼，更体现于他们对邻家子女的称呼。即使年长半岁，甚或一两个月，他们也惯于在名字后边加上“哥”或“姐”的。我家兄弟四个依次都比卢家的子女年长，故依次被卢家的孩子叫作“大哥”、“二哥”、“三哥”、“四哥”。我的哥哥精神失常以后，卢家的孩子照样见着了就叫“大哥”的。卢家的子女都很老实，从不惹是生非。我只记得玉龙与另一条街上的孩子打过一次架，原因是“他们当街要笑我大哥”！

卢家孩子称呼我家兄弟四人，“哥”前既不加“梁家”，也不带出名字。玉龙和玉荣兄弟两个，从小又是极善良、极有正义感的孩子。我从未听卢叔或卢婶教育过他们应该怎样做人。进言之，他们在这方面是缺乏教育的。我想，他们的善良与正义，几乎只能以“天性”来解释。当年，我每天起码要听到十几次出自卢家孩子之口的“二哥”。卢家五个孩子啊，往往一出家门就碰到了一个，听到了一句啊！

如今想来，当年，每天听到那么多句“二哥”，对我是一件重要之事，那使我本能地远避羞耻的行为。被邻家的孩子特亲近地叫“二哥”，这与被自己的亲弟弟亲妹妹所叫是很不同的。被邻家的孩子特亲近地叫“二哥”，使当年的我不可能不在乎配不配的问题。

大约是一九八四年或一九八五年春节前，我第二次从北京回哈尔滨探家。我已是年轻的一夜成名的作家，到家的当天晚上，便迫不及待地挨家看望邻居的叔叔婶婶们，自然先从卢叔家开始。

而卢家人正吃晚饭，除了卢婶，我见到了卢家全家人。卢叔瘦多了，我问他是不是病过，他说确实大病了一场。玉龙的姐姐玉梅、弟弟玉荣，还有玉龙的大妹妹，全都从兵团、农场返城了，都还没有正式工作。除了卢叔，卢家儿女们，皆以崇拜的目光看我，使我颇不自在。我六十多岁的老父亲，虽已劳累了一辈子，从四川退休回到哈尔滨后，为了使家里的生活过得宽裕点，在一个建筑队继续上班。经我父亲介绍，玉龙也在那个建筑队上班。我问玉荣为什么不像他哥哥一样找份临时的工作？玉荣被问得有些难为情，玉龙则替弟弟说：“弟弟是兵团知青时患了肺结核，从此干不了体力活了。而要找到一份不累的工作，像玉荣那么一个毫无家庭背景的返城知青，等于异想天开。”

气氛一时就很愁闷。

我心愀然。事实上，连我返城的三弟，当时也只能托我那当了一辈子建筑工人的老父亲的“福”，与我父亲在同一个建筑队干活。

我又问：“卢婶怎么不在家？”

卢叔反问我：“你家没谁告诉你？”

我闻言困惑。

而玉龙忧伤地说：“二哥，我妈秋天里病故了。”

玉龙实际上只有小学文化，从他口中说出“病故”二字而非“死”字，使我感觉到了他心口那一种疼的深重——不知他要对自己进行多少次提醒，才能从头脑中将“死”字抠出去，并且铆入他不习惯说的“病故”二字，足见他对他母亲的怀念之情。

我的心口也不禁疼了一下。那样一家，没有了卢婶，好比一棵树在不该落叶的季节，掉光了它的叶子。

我又没话找话地说了几句什么，逃脱似的起身告退。

“二哥……”我已站在门口时，玉龙叫了我一声。

我扭回头，见卢家人全都望着我。

卢叔凄笑着说：“大老远的，你还想着给叔带几盒好烟回来，叔多谢了。”

我说：“院里每位叔都有的。”

卢叔说：“那你给我的也肯定比给他们的多。”

而玉龙说：“二哥，我们全家都祝贺你是名人了。”

我又不知说什么好。

卢家的儿女们，一个个虔诚地点头。

因为我哥哥几天前又犯病了，我的家也笼罩在愁云忧雾之中，家人竟都没顾得上告诉我卢婶病故了……

第二年春季，父亲到北京来看孙子。

父亲告诉我，卢叔也病故了。

父亲夸玉龙是个好儿子，为了给卢叔治病，将他家在后院盖的一间小砖房卖了。

父亲惋惜地说：“因为急，卖得也太便宜了，少卖了五六百元。如果不卖，等到动迁的时候，玉龙和玉荣兄弟俩就会都有房子结婚了。”

父亲最后说：“但玉龙是为了使你卢叔走前能用上些好药，少受些罪。他做得对，所以全院都夸他是个好儿子。”

夏季，玉龙忽一日成为我在“北影”的家的不速之客——将近一米八的个子，一身崭新的铁路制服，一表人才。

他说他父亲当年的“问题”得到了纠正，所以他才能有幸成为一名铁路员工。

我问他具体的工作是什么？他说在货场管仓库，说得很满意。

他反问我：“二哥，我文化也太低呀！所以应该很满意啊，对不对？”

我和我的父亲连说：“对、对。”

我和父亲特为他高兴。

他怕误了返回哈市的列车，连午饭也不一块吃，说走就走。

我和父亲将他送出“北影”大门外。

他说：“真想和大爷和二哥合一张影。”可临时哪儿去借照相机啊！当年连我这种人还没见过手机呢！

父亲保证地说：“下次吧！下次你来之前怎么也得先通个气儿，好让你二哥预先借台照相机预备着。”

玉龙说：“大爷，我爸妈都不在了，有时我觉得活得好孤单，我以后可不可以把您当成老父亲啊？”

父亲连说：“怎么不可以！怎么不可以！”

玉龙看着我又说：“那二哥，以后你就好比是我的亲二哥了吧。”

我说：“玉龙，我们的关系不是早就那样了吗？”

望着玉龙走远的背影，父亲喃喃自语：“好孩子啊！也算熬到了出头之日了，他弟弟妹妹们有指望了……”

两年后，我那有了正式工作不久的三弟“下岗”了。

那一年的冬季玉龙又出现在我面前，穿一件旧而且破了两处、露出棉花的蓝布面大衣，看去像个到北京上访的人。他很疲惫的样子，不再一表人才。我讶异于他为什么穿那么一件大衣，以为大衣里边肯定还穿着铁路员工的蓝制服。但他脱下大衣后，上身穿的却是一件洗褪了色的紫色秋衣，显然又该洗澡了。玉龙说："二哥，我下岗了。"

我一时陷于无语之境。

他买了我写的十几本书，说是希望通过送书的方式结识什么人，帮自己找到份能多挣几十元钱的活干，说再苦再累他都干，只要能多挣几十元钱。我一边签自己的名，一边问他弟弟妹妹们的情况如何？

他说，他弟玉荣的病还是时好时犯，好时就找临时的工作，一向只能找到又累又挣钱少的活儿，干到再次病倒了算。他姐有小孩了，也"下岗"了。他两个妹妹同样没有正式工作。

我听着，机械地写着自己的名字，不忍抬头看他，宁愿一直写下去。

书中有一本是《一个红卫兵的自白》。

我正要签上名，玉龙小声说："二哥，这本不签了吧。"

我头也不抬地问："为什么？"

他说："你就听你弟的吧。"

我固执地说："这一本书我写得不那么差。"

他沉默片刻，以更小的声音说："二哥，不瞒你，有看了这一本书的人，撺掇我告你。"

我这才想到，在《一个红卫兵的自白》中，我写到的一个人物用了卢叔的真姓，但却加在了书中那个"卢叔"身上一些虚构的成分，还是那种有理由使卢家人提出抗议的虚构成分。我终于放下笔，缓缓抬起头，以内疚极了也怜悯极了的目光看定他说："玉龙，你起诉二哥吧。你有权利也有理由起诉我，那样你会获得一笔名誉补偿金，而那也正是二哥愿意的。"

我说的是真诚的话。

事实上每次见到玉龙，我必问他缺不缺钱？他总是说不缺，说真到了缺的时候，肯定会向我开口的，然而，我觉得他肯定永远不会主动向我开口的。据我所知，卢叔卢婶在世时，生活最困难的卢家，不曾向院里的任何一户邻居开口借过钱。在这一点上，卢家儿女有着他们父母的基因。

听了我的话，玉龙的脸顿时红到了脖子，当面受了侮辱般地说："二哥，你这不是骂我吗？哪儿有弟弟告哥哥的呢？我那么做我还是人啊！"

我说："兄弟互相告，姐妹互相告，甚至父母和子女互相告，这类事全国到处发生。你放心，二哥保证，绝不生你的气。"

他说："那我自己也会一辈子生自己的气，我姐我弟我妹他们也会生我的气！二哥你要是不欢迎我了，我立刻就走好啦！"

我只得笑着说："那再版时，二哥一定做一番认真修改。"

后来，玉龙又出现在我家时，我送给他一本签了我的名也写上了他名字的《一个红卫兵的自白》，告诉他，是一本修改过的书。

他又红了脸，笑道："二哥你看你，还认真了，这你让我多不好意思！"该脸红、该不好意思的是我，却反倒成了他，我情不自禁地拥抱了他一下。他找着拎着的，带来了两大旅行兜五六十本书。他累得不断地出汗，说经人介绍，帮一位是东北老乡的生意人在北京跑批发，联系业务得自己出钱送礼，而送我的签名书，对他是花钱不多却又比较送得出手的礼物。

我不许他以后再买我的书，要求他提前告诉我，我会为他备好签名书，他来取就是。他说："那不行，这已经够麻烦二哥的了，怎么能还让二哥送给我书呢！何况我每次需要的又多，二哥写一本书很辛苦，绝对不行！"

到现在为止，他一次也没向我要过书。

后来，我的人生中发生了两件毫无思想准备的伤心事，先是父亲去世了，几年后母亲又去世了——这两件事对我的打击极沉重。

再后来，我将哥哥接到北京，也将玉荣请到北京帮我照顾哥哥，同时算我这个"二哥"替玉龙暂时解决了一件操心事，等于给他的弟弟安排了一份力所能及的"工作"。

但玉荣在回哈尔滨看望哥哥姐姐妹妹的日子里，不幸身亡，而我四弟的妻子不久患了尿毒症，一家人的生活顿时乱了套。

那一个时期，在我的头脑之中玉龙这个弟弟不存在了似的。两年后，等我将我这个哥哥的种种责任又落实有序了，才关心起久已没出现在我面前的玉龙来。

那是北京寒冷的冬季，我给四弟寄回了两万元钱，嘱他必须尽早聚上玉龙，不管玉龙需不需要，必须让玉龙收下那两万元钱。

不久，四弟回我电话说，交代给他的任务他完成了。

春季里的一天，下午我从外开罢一次会回到家里，见玉龙坐在我家门旁的台阶上，双眼有些浮肿，上唇起了一排火泡——他一副心力交瘁的样子，却没带书，只背一只绿书包。

进屋后，他刚一坐下，我便问他遭遇什么难事了？

他说他最小的妹妹也大病一场，险些抢救不回生命来。

我问他为什么不告诉我？

他说："我知道四嫂那时候也有生命危险啊，我什么忙都帮不上，怎么还能告诉二哥我自己着急上火的事呢？！"

"二哥，你的心意我领了，但这两万元钱我不能收。二哥的负担也很重，我怎么能收呢？"他从书包里掏出了两万元钱，放在我面前。他说等了我将近三个小时，他这次来我家就是为了送钱。两万元钱带在身上他怕丢，所以一直耐心地等我回来。

我生气了，与他撕撕扯扯地，终于又将两万元钱塞入了他的书包。

这时响起了敲门声，我开了门见是某出版社的编辑，我忘了人家约见的事了。

玉龙起身说他去洗把脸。

他洗罢脸就告辞了。

编辑同志问他是我什么人。

我如实说是老邻居家的一个弟弟，关系很亲。

编辑同志说他见过玉龙。

我心中暗惊一下，猜测或许是给对方留下了某种不良印象的"见过"。

编辑同志却说，前几天她出差从外地回到北京，目睹了这么一种情形——有一精神不正常的中年女子，赤裸着上身在广场上边走边喊，人们皆视而不见，忽有一男人上前，脱下自己的大衣，替那疯女子穿上了。

我说："你认错人了吧？"

她说："不会的。当时我也正想脱下上衣那么做，但他已那么做了。我站在旁边，看着一个非亲非故的男人为一个疯女人一颗一颗扣上大衣扣子，心里很受感动。他给我留下的印象极深，所以不会认错人。"

编辑走后，我见里屋的床上有玉龙留下的两万元钱。

那一年，玉龙出现在我面前的次数多了，隔两三个月我就会见到他一次。

虽然用手机的人已经不少了，但他还没有手机，我也没有。他或者在前一天晚上往我家里打电话，那么第二天我就会在家里等他；或者贸然地就来了，每遇撞锁，便坐在我家门旁台阶上等，有时等很久。

"二哥，你瘦了。"

"二哥，你显老了。"

"二哥，你脸色不好。"

"二哥，你可得注意身体。"

以上是他一见到我常说的话，也是我一见到他想说的话。每次都是他抢先说了，我想说的话也就咽回去不说了。

那一年，我身体很差，确如他说的那样。

那一年，他的身体看去也很差，白发明显地多了，脸还似乎有点浮肿。

我暗暗心疼他，正如他发乎真情地心疼我。

他带来的书也多了。书是沉东西！想想吧，一个人带五六十本书，不打的，没车送，乘公交，转地铁，是一件多累的事啊！以至于我往往想给他几本我新出的书，由于心疼他，犹犹豫豫地最终也就作罢了。

他来的次数多，我于是猜到他换挣钱的地方也换得频了。

赠某某局长、处长、主任、经理……我按名单签着诸如此类的上款，而他常提醒我不要写“副”字，“赠”字前边加上“敬”字。我根本不认识那些人，他显然也一个都不认识，他只不过是在落实他“老板”交给的任务。

有次签罢书，他起身急着要走。

我说：“别急着走，坐下陪二哥说会儿话。”

他立刻顺从地坐下了。

我为他换了茶水，以闲聊似的口吻说：“怎么，不愿让二哥多知道一些你的情况吗？”

他说：“我有啥情况值得非让你知道的呢？”

我说：“比如，做了什么好事、坏事……”

他立刻严肃地说：“二哥，我绝没做过什么坏事。如果做了，我还有脸来见你吗？”

我说：“二哥的意思表达不当，我指的是好事。”

他的表情放松了，不无自卑地说：“你弟这种小民，哪儿有机会做好事啊！”

我就将编辑朋友在火车站见到的事说了一遍，问那个好人是不是他。他侧转脸，低声说：“因为大哥也是得的精神病，我不是从小就同情精神病人嘛，那事儿更不值得说了。”

我一时语塞，良久，才说：“玉龙，我是这么想的——二哥帮你在哈尔滨租个小门面，你做点儿小本生意，别再到北京四处打工了吧，太辛苦啦！”

他低下头去，也沉默良久才又说：“二哥，那不行啊。在咱们哈尔滨，租一个最便宜的而且保证能赚到钱的门面，起码一年五六万，还得先付一年的租金。二哥你负担也重，我不能花你的钱。再说，我也没有生意头脑，一旦血本无归，将二哥帮我的钱亏光了，那我半辈子添了块心病了。我打工还行，力气就是成本。趁现在还有这种不是钱的成本，挣多少是多少吧！二哥你家让你操心的事就够多的了，别为我操心了吧……”

我又语塞，沉默了良久才问出一句废话：“打工不容易是吧？”

玉龙忽地就低声哭了。

我竟乱了方寸，一时不知该怎么劝他。

他边哭边说：“二哥，有些人太贪了，太黑了，太霸道了，太欺负人了……只要有点儿权有点儿钱，就不将心比心地考虑考虑我这种人的感受了……”

我已经记不清我是怎么将他送出门的了。

我独坐家里，大口大口地深吸着烟，集中精力回忆玉龙说过的话。

我能回忆起来的是如下一些话：

“二哥，我受欺负的时候，被欺负急了就说，别以为我好欺负，我是不跟你一般见识！我二哥是作家梁晓声！多数时刻不起作用，但也有少数起作用的时候。二哥，你是玉龙的精神支柱啊！别说三哥四哥秀兰姐家的生活没有了你的帮助不行，我玉龙在精神上没有你这个支柱也撑不下去啊……

“二哥，我希望雇我的人多少看得起我点儿，有时忍不住就会说出我有一个是作家的二哥。他们听了，就要求我找你，帮他们疏通这种关系、那种关系。我知道你也没那么大神通，只能实话实说。结果他们就会认为我不识抬举，恼羞成怒让我滚蛋……

“二哥，有时我真希望你不是作家，是个在北京有实权的大官，也不必太大，局一级就行，那我在人前提起你来，底气也足多了……

“二哥，有时候我真想自己能变成一条龙，把咱们中国的贪官、黑官、腐败的官全都一口一个吞吃了！但对老百姓却是一条好龙，逢旱降雨，逢涝驱云。而且，一片鳞一块玉，专给那些穷苦人家，给多少生多少，鳞不光，给不完……”

那一天，我吸了太多的烟，以至于放学回来的儿子，在门外站了半天才进屋。

那次见面后的一个晚上，玉龙给我打来一次电话。

他说：“二哥，我真有事求你了。”

我说：“讲。”仿佛我真的已不是作家，而是权力极大的官了。

玉龙说的事是——东北农场要加盖一批粮库，希望我能给农场领导写封信，使他所在的工程队承包盖几个粮库。

我想这样的事我的信也许能起点儿担保作用，爽快地答应了。

我用特快专递寄出了一封长信，信中很动感情地写了我家与卢家非同一般的近邻关系，以及我与玉龙的感情深度，我对他人品的了解、信任。我保存了邮寄单，再见到玉龙时郑重其事地给他看——为了证明我的信真寄了。

玉龙顿时高兴得像个小孩子，也将我像搂抱小孩子似的搂抱住，连连说：“哎呀二哥，你亲口答应的事我还会心里不落实吗？还让我看邮寄单，你叫我多不好意思呀二哥……”

但那封信如泥牛入海，杳无回音。

而那一次，是我那一年最后一次见到玉龙。

他并没来我家找我问过，也没在打电话时问过。

我想，他是怕我在他面前觉得没面子。大概，也由于觉得我是为他才失了面子的，没勇气面对我了。

之后两年多，我没再见到过玉龙。

今年五月的一天，我应邀参加一次活动，接我的车竟是一辆车体宽大的奔驰。行至豁口，遇红灯。车停后，我发现从一条小胡同里走出了玉龙。他缓慢地走着，分明地，有点儿驼背了。剃成平头的头发，白多黑少了。穿一件褪了色的蓝上衣，这儿那儿附着黄色的粉末。脚上的旧的平底布鞋，也几乎变成黄色的了。

他一脸茫然，目光惘滞，显然满腹心事。他走到斑马线前，想要过马路的样子，可却呆望着绿灯，似乎还没拿定主意究竟要不要过。

他就那么一脸茫然，目光惘滞地站在斑马线前，呆望着马路这一端的绿灯，像在呆望着红灯。

我想叫他，可是如果要使他听到我的声音，我必须要求司机降下车窗，必须将上身俯向司机那边的窗口，还必须喊。因为，奔驰车停在马路这一边，不大声喊他是听不到的。

我话到嘴边，却终究没要求司机降下车窗。

然而，玉龙到底是踏上了斑马线。

当他从车头前缓慢地走过时，坐在车内的我不由得低下了头，我怕他一转脸看到了我。那一时刻，某些与感情不相干的杂七杂八的想法在我头脑中产生了。那一时刻，我最不愿他看到他的“精神支柱”。被人当成“精神支柱”而实际上又不能在精神上给予人哪怕一点点支撑力的人，实际上也挺可怜的。那一刻，我对自己鄙薄极了。

玉龙终于踏上了马路这一边的人行道，站在离奔驰四五步远处，似乎，还没想清楚应去往何方，去干什么。

我停止胡思乱想，立即降下车窗叫了他一声。

然而，红灯变绿灯了。

奔驰开走了。

玉龙似乎听到了我的叫声——他左顾右盼。左顾右盼的他，瞬间从我眼前消失……

几天后，传达室的朱师傅通知我：“那个叫你二哥的姓卢的人，在传达室给你留下了一个纸箱子。”

纸箱子很沉，我想，必定又是书。

我将纸箱子扛回家，拆开一看，不仅有二三十本我的书，还有两大瓶蜂蜜。

一张纸上写着这样一行字：“二哥，蜜是我从林区给你买的，野生的，肯定没受污染，也没有加什么添加剂。”

下边，是密密麻麻的一片需要我写在书上的名字。

所有的书我早已签写过了，然而现在都是两个多月以后了，玉龙却没来取走。他也没打过我的手机，没给我发过短信。他是有我的手机号的。

以前，他也有过将书留在传达室过些日子再来取的时候，但隔了两个多月还不来取，这是头一次。

我也有他的手机号。

我拨过几次，每次的结果都是——该手机已停用。

他在哪里？在干什么？难道忘了书的事了吗？

不由得不安了。

后来，我就做了一场玉龙他变成了一条龙的梦。

我与四弟通了一次电话，“指示”他必须替我联系上玉龙。

四弟第二天就回电话了，说他到玉龙家去过，而玉龙家动迁后获得的小小两居室又卖了，已成了别人的家。四弟也只有玉龙的一个手机号，就是那个已停用的手机号。看来，我只有等了。不是等他来将我签了名的书取走，那一点儿都不重要了。

我盼望他再一次出现在我面前，使我知道他平安无事。

有些人的生活，做梦似的变好着。好得以至于使我们一般人觉得，作为人，而不是神，生活其实完全没必要好到那么一种程度。即使真有神，大多数的神的生活，想来也并不是多么奢华的。

有些人挣钱，姑且就说是挣钱吧，几百万几千万几亿的，几通电话，几次秘晤，轻轻松松地就挣到了。这里说的还不是贪污，受贿，是“挣”。

而有些人的生活，像垃圾片似的，要出现一个小小的好的情节，那几乎就非从头改写不可。而他们的草根之命是注定了的，靠他们自己来改写，除非重投一次胎，生到前一种人的家中去，否则，“难于上青天”。

而有些人挣钱，仍会使人联想到旧社会——受尽了屈辱、剥削和压迫。

最不幸的姑且不论，中国又该有多少玉龙，其实艰难地生活在无望与渺茫的希望之间呢？而卢家的这一个玉龙，他有许多种借口坑、蒙、拐、骗，却在人品上竭尽全力地活得干干净净——我认为他的基因比某些达官贵人高贵得多！

我祈祷中国的人间，善待他这一个野草根阶层的精神贵族。

凡欺辱他者，我咒他们八辈祖宗！

玉龙，玉龙，快来找我……

# 小垃圾女

我第一次见到她，是在元月下旬的一个日子，刮着五六级风。家居对面，元大都遗址上的高树矮树，皆低俯着它们光秃秃的树冠，表示对冬季之厉色的臣服。偏偏十点左右，商场来电话，通知安装抽油烟机的师傅往我家出发了……

前一天我就将旧的抽油烟机卸下来丢弃在楼口外了，它已为我家厨房服役十余年，油污得不成样子，我早就对它腻歪透了。一除去它，上下左右的油污彻底暴露，我得赶在安装师傅到来之前刮擦干净。洗涤灵去污粉之类难起作用，我想到了用湿抹布滚沾了沙子去污的办法。我在外边寻找到些沙子用小盆往回端时，见个十一二岁的女孩儿站在铁栅栏旁。我丢弃的那台脏兮兮的抽油烟机，已被她弄到那儿，并且一半已从栅栏底下弄到栅栏外，另一半被突出的部分卡住。

女孩儿正使劲跺踏着。她穿得很单薄，衣服裤子旧而且小。脚上是一双夏天穿的扣绊布鞋，破袜子露脚面。两条齐肩小辫，用不同颜色的头绳扎着。她一看见我，立刻停止跺踏，双手攥一根栅栏，双脚蹬在栅栏的横条上，悠荡着身子，仿佛在那儿玩的样子。那儿少了一根铁栅，传达室的朱师傅用粗铁丝拦了几道，对于那女孩儿来说，钻进钻出仍是很容易的，分明，只要我使她感到害怕，她便会一下子钻出去逃之夭夭。而我为了不使她感到害怕，主动说："孩子，你是没法弄走它的呀！"——倘她由于害怕我仓皇钻出时刮破了衣服，甚或刮伤了哪儿，我内心里肯定会觉得不安的。

她却说："是一个叔叔给我的。"——又开始用她的一只小脚跺踏。

果而有什么"叔叔"给她的话，那么只能是我，我当然没有。

我说："是吗？"

她说："真的。"

我说："你可小心……"

我的话还没说完，她已弯下腰去，一手捂着脚腕了。

破裂了的塑料是很锋利的。

我说："唉，扎着了吧？你倒是要这么脏兮兮的东西干什么呢？"

她说："卖钱。"其声细小。说罢抬头望我，泪汪汪的，显然疼的，接着低头看自己捂过脚腕的小手，手掌心上染血了。

我端着半盆沙子，一时因我的明知故问和她小手上的血而呆在那儿。她又说："我是穷人的女儿。"——其声更细小了。她的话使我始料不及，我张张嘴，竟不知再说什么好。而商场派来的师傅到了，我只有引领他们回家。他们安装时，我翻出一片创可贴，去给那女孩儿，却见她蹲在那儿哭，脏兮兮的抽油烟机不见了。

我问哪儿去了？

她说被两个蹬手板车收破烂儿的大男人抢去了，说他们中一个跳过栅栏，一接一递，没费什么事儿就成他们的了……

我问能卖多少钱？她说十元都不止呢，哭得更伤心了。

我替她用创可贴护上了脚腕的伤口，又问："谁教你对人说你是穷人的女儿？"

她说："没人教，我本来就是。"

我不相信没人教她，但也不再问什么。我将她带到家门口，给了她几件不久前清理的旧衣物。

她说："穷人的女儿谢谢您了叔叔。"

我又始料不及，觉得脸上发烧。我兜里有些零钱，本打算掏出全给了她的。但一只手虽已插入兜里，却没往外掏。那女孩儿的眼，希冀地盯着我那只手和那衣兜。

我说："不用谢，去吧。"

她单肩背起小布包下楼时，我又说："过几天再来，我还有些书刊给你。"

听着她的脚步声消失在外边我才抽出手，不知不觉中竟出了一手的汗，我当时真不明白我是怎么了……

事实上，我早已察觉到了那女孩儿对我的生活空间的"入侵"。

那是一种诡秘的行径。

但仅仅诡秘而已，绝不具有任何冒犯的意味，更不具有什么危险的性质。无非是些打算送给朱师傅去卖，暂且放在门外过道的旧物，每每再一出门就不翼而飞了。左邻右舍都曾说撞见过一个小小年纪的"女贼"在偷东西，我想，便是那"穷人的女儿”无疑了……

四五天后的一个早晨我去散步，刚出楼口又一眼看见了她。仍在第一次见到她的地方，她仍然悠荡着身子在玩儿似的。她也同时看见了我，语调亲昵地叫了声叔叔。而我，若未见她，已将她这一个穷人的女儿忘了。

我驻足问："你怎么又来了？"

她说："我在等您呀叔叔。"——语调中掺入了怯怯的、自感卑贱似的成分。

我说："等我？等我干什么？"

她说："您不是答应再给我些您家不要的东西吗？"

我这才想起对她的许诺，搪塞地说："挺多呢，你也拎不动啊！"

"喏"——她朝一旁翘了翘下巴，一个小车就在她脚旁。说那是"车"，很牵强，只不过是一块带轮子的车底板，显然也是别人家扔的，被她捡了。我问她脚好了吗？她说还贴着创可贴呢，但已经不怎么疼了。之后，一双大眼瞪着我又强调地说："我都等了您几个早晨了。"

我说："女孩儿，你得知道，我家要处理的东西，一向都是给传达室朱师傅的，已经给了几年了。"——我的言下之意是，不能由于你改变了啊！

她那双大眼睛微微一眯，凝视我片刻说："他家里有个十八九岁的残疾女儿，你喜欢她是不是？"

我不禁笑着点了一下头。"那，一次给她家，一次给我，行不？"——她专执一念地对我进行说服。

我又笑了，我说："前几天刚给过你一次，再有不是该给她家了吗？”

她眨眨眼说：“那，你已经给她家几年了，也多轮我几次吧！”

我又想笑，却怎么也笑不起来了，心里一时很觉酸楚，替眼前花蕾之龄的女孩儿，也替她那张能说会道的小嘴儿。

我终不忍令她太过失望，二次使她满足……

我第三次见到那女孩儿，日子已快临近春节了。

我开口便道：“这次可没什么东西打发你了。”

女孩儿说：“我不是来要东西的。”——她说从我给她的旧书刊中发现了一个信封，怕我找不到着急，所以接连两三天带在身上，要当面交我。

那信封封着口，无字。我撕开一看，是稿费单及税单而已。

她问：“很重要吧？”

我说：“是的，很重要，谢谢你。”

她笑了：“咱俩之间还谢什么。”

她那窃喜的模样，如同受到了庄严的表彰，而我却看出了破绽——封口处，留下了两个小小的脏手印儿，夹在书刊里寄给我的单据，从来是不封信封口的。

好一个狡黠的“穷人的女儿”啊！

她对我动的小心眼令我心疼她。

“看”——她将一只脚伸过栅栏，我发现她脚上已穿着双新的棉鞋了，摊儿上卖的那一种。并且，她一偏她的头，故意让我瞧见她的两只小辫已扎着红绫了。

我说：“你今天真漂亮。”

她悠荡着身子说：“我妈妈决定，今年春节我们不回老家了。”

“爸爸是干什么的？”

她略一愣，遂低下了头。

我正后悔自己不该问，她抬起头说：“叔叔，初一早晨我会给您拜年。”

我说不必，她说一定。

我说我也许会睡懒觉，她说那她就等。说您不会初一整天不出家门的呀，说她连拜年的话都想好了：“叔叔马年吉祥，恭喜发财！”

“叔叔我一定来给你拜年！”说完，她猛转身一蹦一跳地跑了，两只小辫上扎的红绫，像两只蝴蝶在她左右肩翻飞……

初一我起得很早，倒并不是因为和那“穷人的女儿”有个比较郑重的约会，而是由于三十儿夜晚看一本书看得失眠了。我是个越失眠反而越早起的人，却也不能说与那个比较郑重的约会毫无关系。其实我挺希望初一一大早走出家门，一眼看见一个一身簇新，手儿脸儿洗得干干净净，两条齐肩小辫扎得精精神神的小姑娘快活地大声给我拜年：“叔叔马年吉祥，恭喜发财！”——尽管我不相信那真能给我带来什么财运……

一上午，我多次伫立窗口朝下望，却始终不见那“穷人的女儿”的小身影。下午也是。

到今天为止，我再没见过她，却时而想到她。每一想到，便不由得在内心默默祈祷：

小姑娘，马年吉祥，恭喜发财！……

# 第四辑

# 三平方米的金融海啸

# 一天的声音

一天的声音，确乎首先是从底层发出的。在农村自不必说了，黎明鸡啼，静夜犬吠，一天的过程中牛哞马嘶，或农机作响，都伴随着农民的起息劳作。除了他们的身影，除了那一些声音，农村也不太常见别人的身影，听见另外一些声音。

农民是大地的一部分。在城市里，一天的声音也首先是从底层发出的。“嚓、嚓、嚓……”这是今天我听到的第一种声音。斯时我虽然醒了，却懒得起来。我一向如此，醒得很早，起得较晚。也许是老的预兆吧？我扭头向窗子望去——在窗帘拉不严的地方，一条玻璃是蓝色的，如同用浸了蓝墨水的抹布擦过似的。于是我知道，大约五点钟了。其实，不必看窗子，仅听那“嚓嚓”声，我也能对时间做出挺准确的判断——春节前北京下了一场大雪，被铲到路边的积雪至今没化尽。而我家楼前那一条小街是早市，积雪占了摆摊人们的摊位。自那以后，几乎每天五点钟左右，都能听到“嚓嚓”的铲雪声……

如果是夏天，听到的便是小贩们的说话声。夏天他们常睡在路边，怕的是别人占住他们的摊位。他们最怕的是蹬着平板车来时，摊位却被别人抢先占去了。

有那嗓门儿大的，说话声就会搅了我们这些城里人的清梦。大多数人家都是仅仅一扇纱窗隔着楼里楼外，其声聒耳。何况，楼外的露宿者们还每每争吵嬉闹……

便会有贪早觉的男人或女人大喝一声："消停点儿，讨厌！"大抵是诸如此类的话，但城里人还想睡也睡不成多一会儿了。

渐渐的，说话声多了，终于形成一片——"早市"六点钟左右开始"营业"了。

首先穿过早市的，是骑着自行车身着校服的男女初中生、高中生。在冬季，六点钟左右，天刚刚亮，初中生高中生们，往往是他们的家里最先迈出家门的人。

一月里的一天，北京正处在寒冷之中。我由于失眠，偶尔起早了，站在窗前吸烟。我从窗帘拉不严的地方向外看，天还黑着呢，路灯还亮着呢，大风从对面山坡上的树梢啸过，其声如哨……

我竟看见街上有一个骑自行车的身影。那身影很单薄，哽着风，猫着腰，缩着头，蹬得吃力的样子。我看出那是一名女学生，她一手扶把，一手拿着什么，边骑边吃。

她从我视线里消失之后不一会儿，我又看见了一个像她那样吃力地蹬着自行车的身影——还是一名学生的身影。还是一名女学生的身影。

接着是第三个身影、第四个身影，都是初中生或高中生的身影……

风太大，那一天没摆摊的人。除了风声，外面也再没别的声音。学生们成了最早出现于小街的人，他们的身影悄悄而来，悄悄而去。连摆摊的人也可以因为风大不出门，学生们却不可以据同样的理由不去上学啊……

望着渐多起来的学生们的身影，我心一阵愀然——他们的书包看上去特别的沉重。

我家的门发出了开关之声，我知道儿子也去上学了……

一般来说，从六点到九点多，是小街声音最嘈杂的时候，而八点多钟的小街，可用“人满为患”一词形容。那时小贩们的叫卖声最响亮，有的还手持话筒。他们不仅来自京郊，也来自中国的各个省份——能听到东西南北各种口音。他们似乎都在心照不宣地比赛他们的叫卖声，仿佛那直接显示着他们的生存本领，就像汽车的发动声直接显示汽车的性能……

车流照例堵塞在小街的街口，那时候。

如果只在小街上走，你会觉得人生其实是多么的单纯。各个摊位摆的大抵是吃的东西，菜蔬、粮食、鱼肉、水果以及早点等，少数摊位也摆穿的用的。穿的都很便宜，用的都是居家过日子的杂物……

望着街两旁的摊位，你会觉得，仅就“生活”二字而言，那早市满足一个人的需求已绰绰有余………

但是你若走到街口，去望那堵塞的车流，你往往会觉得眼乱心慌，仿佛人类的生活也堵塞在那儿了。十年前，那一条大马路上过往车辆并不多，后来车辆一天比一天多。最新款式的国产车和最高级的进口车全在那条大马路上亮相，缓缓前驶，两旁是骑自行车的人，车流中夹挤着出租车。各种车辆的尾气，使马路上空如罩青雾……

坐在那些车里的城市人，是有地位的高低之分的。这是与早市上的市民之间不言自明的区别。

汽车的喇叭声小贩的叫卖声此起彼伏，后一种声音是城市的晨曲，前一种声音是城市的“主旋律”。坐在车里的某一个人，很可能决定着早市在街上的取消或存在，很可能决定着股市风云，也很可能决定着早市上某些人的命运……

到了中午，小街上彻底安静下来了，只有承包了那一条小街卫生状况的外地民工，持帚清扫着早市垃圾……那一种安静一直维持到傍晚。傍晚大马路上的车流又堵塞了。傍晚学生们的身影络绎出现在小街上，互相不太说话，也很少有结伴而驶的，都匆匆地往家里骑……

到了晚上九点多钟，一辆辆小车开入小街。小街的街头，有一家歌厅，那一辆辆小车是奔歌厅来的。在夏季，歌厅传出的打击乐，小街另一头的人也听得到。

十点多钟，小车泊满了小街两侧，我家楼前小街的一天，也就开始向第二天过渡了……倘第二天无风、无雨、无雪，倘或有，并不多么大，那一天的起初的声音，依然是摆摊的人所带动起来的。底层的声音，是直接为了生存而发出的声音，也是最容易被其他声音压住的声音。

一天由底层的声音开始，由歌厅里传出的打击乐结束。在我家楼前那条小街上，一天又一天，几乎天天如此……

# 紧绷的小街

迄今，我在北京住过三处地方了。

第一处自然是从前的北京电影制片厂院内。自一九七七年始，我在这里住了十二年筒子楼。往往一星期没出过北影大门，家、食堂、编导室办公楼，白天晚上数次往返于三点之间，像继续着大学生的校园生活。出了筒子楼半分钟就到食堂了，从食堂到办公室才五六分钟的路，比之于今天在上下班路上耗去两三个小时的人，上班那么近实在是一大福气了。

一九八八年年底，我调到了中国儿童电影制片厂，次年夏季搬到童影宿舍。这里有一条小街，小街的长度不会超过从北影的前门到后门，很窄，一侧是元大都的一段土城墙。当年城墙遗址杂草丛生，相当荒野。小街尽头是总参的某干休所，所谓“死胡同”，车辆不能通行。当年有车人家寥寥无几，“打的”也是一件挺奢侈的事，进出小街的车辆除了出租车便是干休所的车了。小街上每见住在北影院内的老导演老演员们的身影，或步行，或骑自行车，或骑电动小三轮车，车后座上坐着他们的老伴儿。他们一位位的名字在中国电影史上举足轻重，掷地有声。当年北影的后门刚刚改造不久，小街很幽静。

又一年，小街上有了摆摊的。渐渐，就形成了街市，几乎卖什么的都有了。

别的地方难得一见的东西，在小街上也可以买到。我在小街买过野蜂窝，朋友说是人造的，用糖浆加糖精再加凝固剂灌在蜂窝形的模子里，做出的"野蜂窝"要多像有多像，过程极容易。我还买过一条一尺来长的蜥蜴，卖的人说用黄酒活泡了，那酒于是滋补。我是个连闻到酒味儿都会醉的人，从不信什么滋补之道，只不过买了养着玩儿，不久就放生了。我当街理过发，花二十元当街享受了半小时的推拿，推拿汉子一时兴起，强烈要求我脱掉背心，我拗他不过，只得照办，吸引了不少围观者。我以十元钱买过三件据卖的人说是纯棉的出口转内销的背心，也买过五六种印有我的名字、我的照片的盗版书，其中一本的书名是《爱与恨的交织》，而我根本没写过那么一本书。当时的我穿着背心、裤衩，趿着破拖鞋，刚剃过光头，几天没刮胡子。我蹲在书摊前，看着那一本厚厚的书，吞吞吐吐地竟说："这本书是假的。"

卖书的外地小伙子瞪我一眼，老反感地顶我："书还有假的吗？假的你看半天？到底买不买？"

我说我就是梁晓声，而我从没出版过这么一本书。

他说："我看你还是假的梁晓声呢！"

旁边有认识我的人说中国有多少叫梁晓声的不敢肯定，但他肯定是作家梁晓声。

小伙子夺去那本书，啪地往书摊上一放，说："难道全中国只许你一个叫梁晓声的人是作家？！"

我居然产生了保存那本书的念头，想买。小伙子说冲我刚才说是假的，一分钱也不便宜给我，爱买不买。我不愿扫了他的兴又扫我自己的兴，二话没说就买下了。待我站在楼口，小伙子追了上来，还跟着一个小女子，手拿照相机。小伙子说她是他媳妇儿，说："既然你是真的梁晓声，那证明咱俩太有缘分了，大叔，咱俩合影留念吧！"人家说得那么诚恳，我怎么可以拒绝呢？于是合影，恰巧走来人，小伙子又央那人为我们三个合影，自然是我站中间，一对小夫妻一左一右，都挽我手臂。

使小街变脏的首先是那类现做现卖的食品摊——煎饼、油条、粥、炒肝、炸春卷、馄饨、烤肉串，再加上卖菜的，再加上杀鸡宰鸭剖鱼的……早市一结束，满街狼藉，人行道和街面都是油腻的，走时沾鞋底儿。一下雨，街上淌的像刷锅水，黑水上漂着烂菜叶，间或漂着油花儿。

我在那条小街上与人发生了三次冲突。前两次互相都挺君子，没动手。第三次对方挨了两记耳光，不过不是我扇的，是童影厂当年的青年导演孙诚替我扇的。那时的小街，早六七点至九十点钟内，已是水泄不通，如节假日的庙会。即使一只黄鼬，在那种情况之下企图蹿过街去也是不大可能的。某日清晨，我在家中听到汽车喇叭响个不停，俯窗一看，见一辆自行车横在一辆出租车前，自行车两边一男一女，皆三十来岁，衣着体面。出租车后，是一辆搬家公司的厢式大车。两辆车一被堵住，一概人只有侧身梭行。

我出了楼，挤过去，请自行车的主人将自行车顺一下。

那人瞪着我怒斥："你他妈少管闲事！"

我问出租车司机怎么回事，他是不是剐蹭着人家了？

出租车司机说绝对没有，他也不知对方为什么要挡住他的车。

那女的骂道："你他妈装糊涂！你按喇叭按得我们心烦，今天非堵你到早市散了不可！"

我听得来气，将自行车一顺，想要指挥出租车通过。对方一掌推开我，复将自行车横在出租车前。我与他如是三番，他从车上取下了链锁，威胁地朝我扬起来。

正那时，他脸上啪地挨了一大嘴巴子。还没等我看清扇他的是谁，耳畔又听啪的一声。待我认出扇他的是孙诚，那男的已乖乖地推着自行车便走，那女的也相跟而去，两个都一次没回头……至今我也不甚明白那一对男女为什么会是那么一种德行。

两年后，"自由市场"被取缔，据说是总参干休所通过军方出面起了作用。

如今我已在牡丹园北里又住了十多年，这里也有一条小街，这条小街起初也很幽静，现在也变成了一条市场街，是出租汽车司机极不情愿去的地方。它的情形变得与十年前我家住过的那条小街又差不多了。闷热的夏日，空气中弥漫着腐败腥臭的气味儿。路面重铺了两次，过不了多久又沾鞋底儿了。下雨时，流水也像刷锅水似的了，像解放前财主家阴沟里淌出的油腻的刷锅水，某几处路面的油腻程度可用铲子铲下一层来。人行道名存实亡，差不多被一家紧挨一家的小店铺完全占据。今非昔比，今胜过昔，街道两侧一辆紧挨一辆停满了廉价车辆，间或也会看到一辆特高级的。

早晨七点左右“商业活动”开始，于是满街油炸烟味儿。上班族行色匆匆，有的边吃边走。买早点的老人步履缓慢，出租车或私家车明智地停住，耐心地等老人们蹒跚而过。八点左右街上已乱作一团，人是更多了，车辆也多起来。如今买一辆廉价的二手车才一两万元，租了门面房开小店铺的外地小老板十之五六也都有车，早晨是他们忙着上货的时候。太平庄那儿一家“国美”商城的免费接送车，在小街上兜了一圈又一圈，相对于对开两辆小汽车已勉为其难的街宽，“国美”那辆大客车是庞然大物。倘一辆小汽车迎头遭遇了它，并且各自没了倒车的余地，那么堵塞半小时、一小时是家常便饭。“国美”大客车是出租车司机和驾私家车的人打内心里厌烦的，但因为免费，它是老人们的最爱。真的堵塞住了，已坐上了它或急着想要坐上它的老人们，往往会不拿好眼色瞪着出租车或私家车，显然他们认为一大早添乱的是后者。

傍晚的情形比早上的情形更糟糕。六点左右，小饭店的桌椅已摆到人行道上了，仿佛人行道根本就是自家的。人行道摆满了，沿马路边再摆一排。烤肉的出现了，烤海鲜的出现了，烤玉米烤土豆片地瓜片的也出现了。时代进步了，人们的吃法新颖了，小街上还曾出现过烤茄子、青椒和木瓜的摊贩。最火的是一家海鲜店，每晚在人行道上摆二十几套桌椅，居然有开着“宝马”或“奥迪”前来大快朵颐的男女，往往一吃便吃到深夜。某些男子直吃得脱掉衣衫，赤裸上身，汗流浃背，喝五吆六，划拳行令，旁若无人。乌烟瘴气中，行人嫌恶开车的，开车的嫌恶摆摊的，摆摊的嫌恶开店面的，开店面的嫌恶出租店面的——租金又涨了，占道经营等于变相地扩大门面，也只有这样赚得才多点儿。通货膨胀使他们来到北京打拼人生的成本大大提高了，不多赚点儿怎么行呢？而原住居民嫌恶一概之外地人——当初这条小街是多么幽静啊，看现在，外地人将这条小街搞成什么样子了？！那一时段，在这条小街，几乎所有人都在内心里嫌恶同胞……

而在那一时段，居然还有成心堵车的!

有次我回家，见一辆“奥迪”斜停在菜摊前。那么一斜停，三分之一的街面被占了，两边都堵住了三四辆车，喇叭声此起彼伏。车里坐一男人，听着音乐，悠悠然地吸着烟。

我忍无可忍，走到车窗旁冲他大吼：“你他妈聋啦？！”

他这才弹掉烟灰，不情愿地将车尾顺直，于是堵塞消除。原来，他等一个在菜摊前挑挑拣拣买菜的女人，那一时段这条街上的菜最便宜。可是，就为买几斤便宜的菜，至于开着“奥迪”到这么一条小街上来添乱吗？我们的某些同胞多么让人难以理解!

那男人开车前，瞪着我气势汹汹地问：“你刚才骂谁？”

我顺手从人行道上的货摊中操起一把拖布，比他更气势汹汹地说：“骂的就是你，混蛋！”

也许见我是老者，也许见我一脸怒气，并且猜不到我是个什么身份的人，还自知理亏，他也骂我一句，将车开走了……

能说他不是成心堵车吗？!

可他为什么要那样呢？我至今也想不明白。

还有一次，一辆旧的白色“捷达”横在一个小区的车辆进出口，将院里街上的车堵住了十几辆，小街仿佛变成了停车场，连行人都要从车隙间侧身而过。车里却无人，锁了。有个认得我的人小声告诉我，对面人行道上，一个穿 T 恤衫吸着烟的男人便是车主。我见他望西洋景似的望着堵得一塌糊涂的场面幸灾乐祸地笑。毫无疑问，他肯定是车主，也可以肯定，他成心使坏是因为与出入口那儿的保安发生过什么不快。

那时的我真是怒从心头起，恶向胆边生。倘身处古代，倘我武艺了得，定然奔将过去，大打出手，管他娘的什么君子不君子！然我已老了，全没了打斗的能力和勇气，但骂的勇气却还残存着几分。于是撇掉斯文，瞪住那人，大骂一通混蛋王八蛋狗娘养的！

我的骂自然丝毫也解决不了问题，最终解决问题的是交警支队的人，但那已是一个多小时以后的事了。在那一个多小时内，坐在人行道露天餐桌四周的人们，吃着喝着看着“热闹”，似乎堵塞之事与人行道被占，一点儿关系都没有……

十余年前，我住童影宿合所在的那一条小街时，曾听到有人这么说——真希望哪天大家集资买几百袋强力洗衣粉、几十把钢丝刷子，再雇一辆喷水车，发起一场义务劳动，将咱们这条油腻肮脏的小街彻底冲刷一遍！

如今，我听到过有人这么说——某时真想开一辆坦克，从街头一路压到街尾！这样的一条街住久了会使人发疯的！

在这条小街上，不仅经常引起同胞对同胞的嫌恶，还经常引起同胞对同胞的怨毒气，还经常造成同胞与同胞之间的紧张感。互相嫌恶，却也互相不敢轻易冒犯。谁都是弱者，谁都有底线。大多数人都活得很隐忍，小心翼翼。

街道委员会对这条小街束手无策，他们说他们没有执法权。

城管部门对这条小街也束手无策，他们说要治理，非来

“硬”的不可，但北京是“首善之都”，怎么能来“硬”的呢？

新闻单位被什么人请来过，却一次也没进行报道。他们说，我们的原则是报道可以解决的事，明摆着这条小街的现状根本没法解决啊！

有人给市长热线一次次地打电话，最终居委会的同志找到了打电话的人，劝说——容易解决不是早解决了吗？实在忍受不了你干脆搬走吧！

有人也要求我这个区人大代表应该履责，我却从没向区政府反映过这条小街的情况。我的看法乃是——每一处摊位，每一处门面，背后都是一户人家的生计、生活甚至生存问题，悠悠万事，唯此为大。

在小街的另一街口，一行大红字标志着一个所在是“城市美化与管理学院”。

相隔几米的街对面，人行道上搭着快餐摊棚。下水道口近在咫尺，夏季臭气冲鼻，情形令人作呕。

城管并不是毫不作为的，他们干脆将那下水道口用水泥封了，于是那儿摆着一个盛泔水的大盆了。至晚，泔水被倒往附近的下水道口，于是另一个下水道口也臭气冲鼻，情形令人作呕了。

又几步远，曾是一处卖油炸食物的摊点。经年累月，油锅上方的高压线挂满油烟嘟噜了，如同南方农家灶口上方挂了许多年的腊肠。架子上的变压器也早已熏黑了。某夜，城管发起“突击”，将那么一处的地面砖重铺了，围上了栏杆，栏杆内搭起“执法亭”了。白天，摊主见大势已去，也躺在地上闹过，但最终以和平方式告终。

本就很窄的街面，在一侧的人行道旁，又隔了一道八十厘米宽的栏杆，使那一侧无法停车了。理论上是这样一道算式——斜停车辆占路面一点五米宽即一百五十厘米的话，如此一来，无法停车了，约等于路窄了七十厘米。

两害相比取其轻，不得已而为之的办法，一种精神上的“胜利”。这条极可能经常发生城管人员与占道经营、无照经营、不卫生经营者之间的严峻斗争的小街，十余年来，其实并没发生过什么斗争事件。斗争不能使这一条小街变得稍好一些，相反，恐怕将月无宁日，日无宁时。这是双方都明白的，所以都尽量地互相理解，互相体恤。

也不是所有的门面和摊位都会使街道肮脏不堪。小街上有多家理发店、照相馆、洗衣店、打印社，还有茶店、糕点店、眼镜店、鲜花店、房屋中介公司、手工做鞋和卖鞋的小铺面，它们除了方便于居民，可以说毫无负面的环境影响。我经常去的两家打印社，主人都是农村来的。他们的铺面月租金五六千元，而据他们说，每年还有五六万的纯收入。

这是多么养人的一条小街啊！出租者和租者每年都有五六万的收入，而且或是城市底层人家，或是农村来的同胞，这是一切道理之上最硬的道理啊！其他一切道理，难道还不应该服从这一道理吗？

在一处拐角，有一位无照经营的大娘，她几乎每天据守着一平方米多一点儿的摊位卖咸鸭蛋。一年四季，寒暑无阻，已在那儿据守了十余年了。一天才能挣几多钱啊！如果那点儿收入对她不是很需要，七十多岁的人了，想必不会坚持了吧。

大娘的对面是一位东北农村来的姑娘，去年冬天她开始在拐角那儿卖大馇子粥。一碗三元钱，玉米很新鲜，那粥香啊！她也只不过占了一平方米多一点儿的人行道路面。占道经营自然是违章经营，可是据她说，每月也能挣四五千元！因为玉米是自家地里产的，除了点儿运费，几乎再无另外的成本。她曾对我说："我都二十七了还没结婚呢，我对象家穷，我得出来帮他挣钱，才能盖起新房啊！要不咋办呢？"

再往前走十几步，有一位农家妇女用三轮平板车卖豆浆、豆腐，也在那儿坚持十余年了。旁边，是用橱架车卖烧饼的一对夫妻，丈夫做，妻子卖，同样是小街上的老生意人。寒暑假期间，两家的两个都是小学生的女孩也来帮大人忙生计。炎夏之日，小脸儿晒得黑红，而寒冬时，小手冻得肿乎乎的。两个女孩儿的脸上，都呈现着历世的早熟的沧桑了。

有次我问其中一个："你俩肯定早就认识了，一块儿玩不？"

她竟说："也没空儿呀，再说也没心情！"

回答得特实在，实在得令人听了心疼。

"五一"节前，拐角那儿出现了一个五十来岁的外地汉子，挤在卖咸鸭蛋的大娘与卖鞋垫的大娘之间，仅占了一尺来宽的一小块儿地方，蹲在那儿，守着装了硬海绵的小木匣，其上插五六支风轮，彩色闪光纸做的风轮。他引起我注意的原因不仅是因为他卖成本那么低、肯定也挣不了几个小钱的东西，还因为他右手戴着原本是白色、现已脏成了黑色的线手套，一种廉价的劳保手套。

我心想："你这外地汉子呀，北京再能谋到生计，这条街再养得活人，你靠卖风轮那也还是挣不出一天的饭钱呀！你这大男人脑子进水啦，找份什么活儿干不行，非得蹲这儿卖风轮？”然而，我一次、两次、三次、四次地看到他挤在两位大娘之间，蹲在那儿，五月份快过去了他才消失。

我买鞋垫时问大娘：“那人的风轮卖得好吗？”

大娘说：“好什么呀！快一个月了只卖出几支，一支才卖一元钱，比我这鞋垫儿还少五角钱！”

卖咸鸭蛋的大娘接言道：“他在老家农村干活儿时，一条手臂砸断了，残了，右手是只假手。不是觉得他可怜，我俩还不愿让他挤中间呢……”

我顿时默然。

卖咸鸭蛋的大娘又说，其实她一个月也卖不了多少咸鸭蛋，只能挣五六百元而已，这五六百元还仅归她一半儿。农村有养鸭的亲戚，负责每月给她送来鸭蛋，她负责腌，负责卖。

“儿女们挣的都少，如今供孩子上学花费太高，我们这种没工作过也没退休金的老人，”她指指旁边卖鞋垫的大娘，“哪怕每月能给第三代挣出点儿零花钱，那也算儿女们不白养活我们呀……”

卖鞋垫的大娘就一个劲儿点头。

我不禁联想到了卖豆制品的和卖烧饼的。他们的女儿，已在帮着他们挣钱了。父母但凡工作着，小儿女每月就必定得有些零花钱——城里人家尤其是北京人家的小儿女，与外地农村人家的小儿女相比，似乎永远是有区别的。我的脾气，如今竟变好了。小街日复一日年复一年地教育了我，逐渐使我明白我的坏脾气与这一条小街是多么的不相宜。再遇到使我怒从心起之事，每能强压怒火，上前好言排解了。若竟懒得，则命令自己装没看见，扭头一走了之。

而这条小街少了我的骂声，情形却也并没更糟到哪儿去。正如我大骂过几遭，情形并没有因而就变好点儿。

我觉得不少人都变得和我一样好脾气了。

有次我碰到了那位曾说恨不得开辆坦克从街头压到街尾的熟人。

我说："你看我们这条小街还有法儿治吗？"

他苦笑道："能有什么法儿呀？理解万岁呗，讲体恤呗，讲和谐呗……"

由他的话，我忽然意识到，紧绷了十余年的这一条小街，竟自然而然地生成了一种品格，那就是人与人之间的体恤。所谓和谐，对于这一条小街，首先却是容忍。

有些同胞生计、生活、生存之艰难辛苦，在这一条小街呈现得历历在目。小街上还有所小学——瓷砖围墙上，镶着陶行知的头像及"爱满天下"四个大字。墙根低矮的冬青丛中藏污纳垢，叶上经常沾着痰。行知先生终日从墙上望着这条小街，我每觉他的目光似乎越来越忧郁，却也似乎越来越温柔了。

# 看自行车的女人

想为那个看自行车的女人写篇文字的念头，已萌生在我心里很久了。事实上我一直觉得还会见到她，果而那样，我就不写了，却再也没见到。北京太大，存自行车的地方太多，她也许又到别处做看自行车的人了。或者，又受到什么欺辱，憋屈无人可诉，便回家乡去了？总之我没再见到过她……

我第一次见到她，是在北京一家牙科医院前的人行道上。一个胖女人企图夺她装钱的书包，书包的带子已从她肩头滑落，搭垂在手臂上。她双手将书包紧紧搂于胸前，以带着哭腔的声音叫嚷着："你不能这样啊，你不能这样啊，我每天挣点儿钱多不容易啊！……"

那绿色的帆布的书包，看去是新的。我想，她大约是为了在北京找到的这份看自行车的工作才买的。从前的年代，小学生们都背着那样的书包上学，现在偶尔可见摆地摊的街头小贩还卖那样的书包，一种赖在大城市消费链上的便宜货。看自行车的女人四十余岁，身材瘦小，脸色灰黄。她穿着一套旧迷彩服，还戴着一顶也是迷彩的单帽，足下是一双带扣绊儿的旧布鞋，没穿袜子，脚面晒得很黑。那套迷彩服，连那顶帽子，当然都非正规军装，地摊上也有卖的，十元钱可以都买下来。总之，她那么一种穿戴，使她看去不伦不类，怪怪的。单帽的帽舌卡得太低，压住了她的双眉。帽舌下，看自行车的女人的两只眼睛，呈现着莫大而又无助的惊恐。

我从围观者们的议论中听明白了两个女人纠缠不休的原因：身高马大的胖女人存上自行车离开时，忘了拿放在自行车筐里的手拎袋，匆匆地从医院里跑回来找，却不见了。她认为看自行车的外地女人应该负责任，并且怀疑是被看自行车的女人藏匿了起来。

“我包里有三百元钱，还有手机，你敢说你没看见，难道我讹你不成吗？！”

胖女人理直气壮。

看自行车的女人可怜巴巴地说：“我确实就没看见嘛！我看的是自行车，你丢了包儿也不能全怪我……”“你再这样说我抽你！”——胖女人一用力，终于将看自行车女人的书包夺了去，紧接着将手伸入包里去掏，却只不过掏出了一把零钱。五六十辆一排自行车而已，一辆收费两毛钱，那书包里钱再怎么多，也多不过十几元啊。

“当”的一声，一只小瓷铁碗抛在看自行车的女人脚旁，抢夺者骑上自己的自行车，带着装有十几元零钱的别人的书包，扬长而去。我想，那与其说是经济的补偿，毋宁说是图一种心理平衡的行为。

看自行车的女人追了几步，回头看着一排自行车，情知不能去追，也情知是追不上的，慢慢走到原地，捡起自己的小瓷铁碗，瞧着发愣，忽然，头往身旁的大树上一抵，呜呜哭了。那单帽的帽舌，压折在她的额和树干之间……

我第二次见到她，是在北京的一家书店门外。那家书店前一天在晚报上登了消息，说第二天有一批处理价的书卖。我的手，和一只女人的黑黑瘦瘦的手，不期然地伸向了同一本书——《英汉对照词典》。我抬头，认出了对方正是看自行车的女人，不由得将伸出的手缩了回来。她那天没再穿使她的样子不伦不类的迷彩服，也没戴迷彩单帽，而穿了一身洗得干干净净的蓝布衫裤。我的手刚一缩回，她赶紧将书拿在手中，急问卖书人多少钱。人家说二十元，她又问十五元行不行？人家说一本新的要卖四十元呢！你买不买？不买干脆放下，别人还买呢！看自行车的女人将一种特别无奈的目光望向了我，她的手却仍不放那词典，我默默转身走了。

我听到她在背后央求地说："卖给我吧，卖给我吧，我真的就剩十五元了！你看，十五元六角，兜里再一分钱也没有了！我不骗你，你看，我还从你们这儿买了另外几本书呐！……"

又听卖书人好像不情愿似的："行行行，别啰唆了，十五元六角拿去吧！"

后来，那女人又在一家商场门前看自行车了。一次，我去商场买蒸锅，没有大小合适的，带着的一百元钱也就没破开。取自行车时，我没想到看自行车的人会是她，歉意地说："忘带存车的零钱了，一百元你能找得开吗？"我那么说时表情挺不自然，以为她会朝不好的方面猜度我。因为一个人从商场出来，居然说自己兜里连几角零钱都没有，不大可信的。她望着我愣了愣，似乎要回忆起在哪儿见过我，又似乎仅仅是由于我的话而发愣。也不知她是否回忆起了什么，总之她一笑，很不好意思地说：“那就不用给钱了，走吧走吧！”——她当时的笑，给我留下很深的印象。我们许多人，不是已被猜度惯了吗？偶尔有一次竟不被明明有理由猜度我们的人所猜度，于我们自己反倒是很稀奇之事了，每每的，竟至于感激起来。我当时的心情就是那样。应该不好意思的是我，她倒那么的不好意思。仅凭此点，以我的经验判断，在牙科医院前的人行道上发生的事中，这外地的看自行车的女人，毫无疑问被欺负了……这世界上有多少事的真相，是在众目睽睽情况下被掩盖甚至被颠倒了啊！这么一想，我不禁替她不平……

我第二次去商场买到了我要的那种蒸锅，付存车费时我说：“上次欠你两毛钱，这次付给你。”我之所以如此主动，并非想要证明自己是一个多么诚信的人。我当时丝毫也没有这样的意识，倒是相反，认为她肯定记着我欠她两毛钱存车费的事，若由她提醒我，我会尴尬的。不料她又像上次那样愣了一愣，分明，她既不记得我曾欠她两毛钱存车费的事，也不记得我和她曾要买下同一本词典的事了。可也是，每天这地方有一二百人存自行车取自行车，她怎么会偏偏记得我呢？

“不用啊不用啊！”她又不好意思起来，硬塞还给了我两毛钱。我觉得，她特别希望给在这里存自行车的人一种良好的印象。我将装蒸锅的纸箱夹在车后座上，忍不住问了她一句：“你哪儿人？”

“河南。”她的脸，竟微微红了一下。我于是想到了那是为什么，便说：“我家小阿姨也是河南人。”

她默默地，有些不知说什么好地笑着。

“来北京多久了？”

“还不到半年。”

“家乡的日子怎么样呢？”

“不容易过啊……再加上我儿子又上了大学……”

她将大学两个字说出特别强调的意味，一脸自豪。

“唔？在一所什么大学？”

她说出了一座我陌生的河南城市的名字。我知近年某些省的地区级城市的师范类专科学院，也有改挂大学校牌的，就没再问什么。

我推自行车下人行道时，觉得后轮很轻。回头一看，见她的一只手替我提起着后轮呢。骑上自行车刚蹬了几下，纸箱掉了。看自行车的女人跑了过来，从书包里掏出一截塑料绳……

北京下第一场雪后的一天晚上，北影一位退了休的老同志给我打电话，让我替他写一封表扬信寄给报社。他要表扬的，就是那个河南的看自行车的女人。他说他到那家商场去取照片，遇到熟人聊了一会儿，竟没骑自行车，走回了家，拎兜也忘在自行车筐里了……

“拎兜里有几百块钱，钱倒不是我太在乎的。我一共洗了三百多张老照片啊！干了一辈子摄影，那些老照片可都是我的宝呀！吃完晚饭天黑了我才想起来，急急忙忙打的去存车那地方，你猜怎么着？就剩我那一辆自行车了！人家看自行车那女人，冷得受不了，站在商店门里，隔着门玻璃，还在看着我那辆旧自行车哪！而且，替我将我的拎兜保管在她的书包里。人心不可以没有了感动呀是不是？人对人也不可以不知感激是不是？”

北影退了休的摄影师在电话里恳言切切。

我满口应承照办照办，然而过后事一多，所诺之事竟彻底忘了。

不久前我又去那家商场买东西，见看自行车的人已经换了，是一个外地的男人了。

我问原先那个看自行车的女人呢？

他说走了。

我问为什么她走了呢？

他说，还能为什么呢？是她不称职呗！我们外地人在北京挣这份工作，那也是要凭竞争能力的！

我心黯然，替那看自行车的女人，并且，也有几分替她那在一所默默无闻的大学里读书的儿子……

我想问她到哪里去了？张张嘴，却什么也没有问。

我不知她从农村来到城市，除了看自行车，还能干什么？如果她仍在北京的别处，或别的城市里做一个看自行车的人，我祈祝她永远也不会再碰到欺负她的人。阳光底下，农村人、城市人，应该是平等的。弱者有时对这平等反倒显得诚惶诚恐，不是他们不配，而是因为这起码的平等往往太少，太少……

# 三平方米的金融海啸

这雨，可说是场大雨了，小街上，不见人影。然而，却还是有人的，都躲到人行道两侧避雨的地方去了。所谓避雨的地方，自然是那些没有门窗，竟也叫门面的菜摊或水果摊的屋顶下……

在北京的三环和四环之间，这条小街真是够脏够乱的。路宽不足十米，两侧一辆挨一辆停满了各种卧车，菜农或果农开来的大卡车、小卡车、厢式小货车，以及小贩们的三轮平板车，马车也是常见的。今天是星期日，有三辆马车夹在机动车之间，一辆载满蔬菜，另一辆载满瓜果，还有一辆载的是成袋的大米——幸而已及时罩上了雨布。那情形看去颇为荒诞，仿佛这条街上有处加油站，仿佛这是一个汽油短缺的月份，一概车辆皆在排队加油，马车也不例外……

阿伟坐的地方，是雨淋不着的。不但雨淋不着他，夏季的炎日也晒不着他。而且只要他想坐在那儿，是可以从早到晚一直坐在那儿的。那儿是一个小区的门旁，有台阶。台阶半圆形，为了美观，向两边延伸出几米，看上去像有帽翅的古代官帽。

阿伟呢，就坐在左边的“帽翅”上，臀下垫块纸板。那是他合法的蹲坐之处。右边的“帽翅”，连着一家美发店的台阶。如果他坐到右边去，就不合法了，美发店的老板是有理由也有权力驱赶他离开的。当然，他若真坐到右边去，美发店的专利权那也断不至于撵他。他们已很熟，并且，广义言之，阿伟也是老板。

阿伟姓赵，原名赵韦，河南农民，已婚，并有一子。他的家庭成员，皆农民。他们祖祖辈辈是农民，已经十几代之久了。到他这一代，按名谱排下来，都逢上了韦字。韦字是没什么讲头的字，几位盼着家庭兴旺的长者一商量，就将他这一代人的韦字，加上了单立人。于是他的名，就也从赵韦，改成赵伟了。

伟字自然是很有讲头了，但阿伟的人生，还没沾到伟字的什么大光。

阿伟在这条街上收废品。面前，有三平方米的合法地盘，用绿色的、两尺高的硬塑板围着。硬塑板上，白字印着北京某环保部门的名称。除此之外，他还有执照——为这种合法性，阿伟每年须向有关部门交六千多元管理费，平均每月五百多元。

在那“官帽”的“帽翅”上，阿伟已经坐到第四年了。多垫两块纸板，他便也能够躺下，但腿是伸不开的。“帽翅”没那么长，若他躺下去，只有屈起双膝来。阿伟不常躺下，他对自己的职业形象还是挺在乎的。铁门内，有几幢二十余层的高楼，楼里人家都将废品卖给阿伟。阿伟自然也是有手机的，许多楼里人家知道他的手机号码。倘那些人家积攒的废品多了，一打他的手机，阿伟转眼便会拎着麻袋和秤出现在那些人家的门口。阿伟和小区里的人关系处得不错……

前三年，阿伟的业务充满光明。起码，他自己是心满意足的。想想吧，一个年轻农民，在北京这一条很脏很乱的小街上，一旦取得了三平方米那么一小块合法坐守的地方，刨去应缴的管理费，一年竟能有两万多元的收入，还不应该谢天谢地吗？所以他总是对北京心怀着几分虔诚的感激，并且总是这么想——如果全中国的大小城市都能有北京这么多照顾穷人的挣钱机会，那么中国的农民就几乎算是熬到了共产主义啦！一个中国农民，不论是哪个省的，即使一年到头辛辛苦苦地侍弄了十几亩地，也未必就能有两万多元的回报啊！而他，几乎就是坐守罢了。这钱怎么说也算挣得容易啊！第二年，他的妻子带着儿子也来到北京了，他以每月三百元的便宜价格，租下了一间地下室，就在背后的小区里……

那时两口子对于生活都开始心生出有点儿伟大的憧憬来——他们盘算过攒下多少钱便足以推倒农村的旧屋盖新房了，也盘算过攒下多少钱就可以在小街上租下一间门面，经营一种什么小生意了。那有点儿伟大的憧憬需要用两个五年计划来实现。两个五年计划不才十年吗？他们都年轻着，有那份耐心。

不料好景不长，今年以来，业务每况愈下，都是金融海啸给闹的。

他每日所收的废报和过期刊物的封面上，几乎随时都能扫视到“金融海啸”四个字。那四个字每每作为黑体标题，有时大得离谱，然而他只当那是和自己毫无关系的事。似乎，也和每日出现在这条小街上的人们没什么关系。一切摊位上的蔬菜瓜果并没明显地涨价，理发的价格从八元涨到了十元，然而他并没听到什么抱怨之声。但是不久，“金融海啸”竟啸到了他这一行。虽然不曾见海，其啸却来势汹汹。废品的回收价格都降了一半，而那意味着他们的收入每天、每月、每年便也减少了一半……

某天夜里，妻子轻轻推了他两次。他说："我没睡着。"躺下以后，他就不曾合过眼睛，而妻子却是睡着了一阵又醒来的。她已经在两个月前开始做钟点工了，做钟点工不能带着小孩。白天，他们四岁的儿子跟他一起守摊，简直可以说，小小的儿子也开始打工生涯了。

妻子没头没脑地问："咋办？"但他一听就明白她在问什么。他说："挺。"

妻子沉默一会儿，低声哭了。他摸索到她一只手，握了握，又说："别哭醒儿子。"儿子不知道有什么金融海啸，当然也不觉得有什么危机正压迫着他们一家三口。儿子挺乐于跟他一块坦然自若守摊的，困了就偎在他怀里睡一觉。第二天，他与妻子统一了意见，妻子当晚将儿子送回老家去了……

雨仍在下，丝毫没有停的迹象。菜摊的主人们也都躲到避雨的地方去了，隔街望着各自的菜摊而已。他们成心不罩他们的菜——萝卜、土豆、柿子、黄瓜，各类青菜被大雨一淋，红的更红，紫的更紫，白的更白，绿的更绿了，正中摊主们的下怀。他们倒是都有点儿感激金融海啸的。"贵？金融海啸了，不涨价格，我们还有活路吗？"——嫌贵的人听他们这么说，就不好意思讨价还价了。

阿伟羡慕他们，然而并不后悔，毕竟他所占据的三平方米地面是合法的。二〇〇九年六千多元的管理费，他在年初如数交了。而他们，城管人员一来到这条小街上，便顷刻作鸟兽散。

雨虽然将菜淋得更新鲜了似的，但街面上流淌着的水却那么污浊，各种各样的垃圾顺流而漂。阿伟却一向以极亲切的眼光来看这一条小街，包括此刻。因为，他视自己那三平方米地面为宝地。在过去的三年多里，他靠它挣了六七万元啊！农村里哪儿有这么宝贵的一小块地啊！

“你手机响了。”——站在铁门旁的保安对他大声说。他赶紧掏出手机。

“响了两次了。”“是吗？谢谢，我没听到。”手机里传出一个小伙子的声音，催他到一幢楼里去收废品。他本想说等雨停了再去，听出小伙子很急，张张嘴没那么说……

给他开门的是个二十六七岁的小女子，看样刚迈出大学校门不久，一个三十多岁的男子在屋里对着手机大声嚷嚷："那不行！有规定不能随便裁人！我给公司出了多年的力了，凭什么找个借口就想一脚踢开我？少废话！我不管什么金融海啸不海啸，法庭上见！……”

想必，便是他以为的小伙子。小女子刚将一纸箱塑料瓶放在门外，那男子一步跨到门口，对他大发其火："你他妈怎么回事儿？拨过你两次手机了！”他愣了愣，低声说："下雨，没听到。保安告诉我才听到的，对不起。”“你他妈聋了？”他又说："对不起。”小女子默默将那男子推开，催促他："快点儿，快点儿。”他数了数瓶子，忍气吞声地说："总共七角。”“七角？！”——那男子又冲到了门口，指着他声色俱厉："多少钱？再说一遍！”“八个小瓶，每个五分，五八四角。三个大瓶，每个一角，三角。四角加三角，七角。信不过我，你亲自再数一遍。”“你骗谁你？！当我们没卖过瓶子啊？明明小瓶子一角，大瓶子两角，你怎么按五分收？按一角收？……”“那是去年的价，去年就是我收的……今年，你们也知道的，金融海啸了……”“啸你妈的头啊！你个收破烂儿的，也他妈敢打着金融海啸的幌子呀？你配吗你？！……七角钱！老子宁肯扔了也不卖了！……”那男子气呼呼地跨将出来，捧起纸箱，几步走到公共垃圾筒前，将纸箱扔入。之后，看也不看他一眼，返入家门，将门呼地关上……

阿伟生气地望着那门。他记得以前也来这一户收过废品，主人并非刚才那一对男女，显然，主人将房子租出去了。为了上门来收废品，他淋得落汤鸡似的。那些瓶子一扔进垃圾筒里，捡它们的权利便属于这幢楼的清洁工了，这是小区里的规定，任何别人捡，等于侵权。侵犯别人权益之事，阿伟是做不来的，尽管他这会儿将纸箱子从垃圾筒里捧出来，没人会看到。他有点儿想那么做，但也只是一念闪过而已。这幢楼的女清洁工，也是从农村出来的。他认识她，他俩常在一起聊农村人进城打工的不容易，他俩同病相怜。他觉得他如果照自己那一闪念去做了，未免太可耻。

他也特想踹开门，将那男子也狗血喷头地骂一顿。如果对方敢跟他动手，他才不怕。打就打，都是高矮胖瘦一般般的男人，谁怕谁？却同样是一闪念而已。听了那男子对着手机嚷嚷的话，他不愿和对方一般见识了。

落汤鸡般的阿伟是在十五层楼。电梯迟迟不上来，他等不及，索性下楼梯。外边，雨终于变小。阿伟出现在楼口台阶上时，天空已经有些见晴。他抬头望望天空，郁闷情绪因之稍释。

“挺。”他喃喃自语，不料脚下一滑，从台阶上跌了下去。

他站了几次，没站起来……

在医院，妻子见他一条腿上了夹板，立刻就哭了。“咋办？”“挺。”“你都这样了，还怎么挺啊……”“世上从来没有一直不过去的事儿……咱们那三平方米宝地得坚守住！不放弃，绝不放弃！哪怕把以前挣的钱再贴进去，也要守住！守住了那三平方米地方，盖新房子就还有希望，供儿子将来上学的费用就不愁！……”这农村年轻人的脸上流下泪来，然而，那话语却说得掷地有声。

“听说，不久这条街要改造了……”“咱不怕。不管怎么改造，城市人家总还是有废品的。咱那地方，是合法的！”

几天以后，阿伟又出现在他的宝地旁。由于一条腿上了夹板，他只能侧身而坐。那样，他上了夹板的腿就可以平放在水泥台上。那是很累的一种坐法。

在小区的广告板上，新贴了一张纸，上写几行字：

由于金融海啸的影响，废品收购价格全都下降了百分之五十，请大家理解。又由于本人跌断了腿，一段时期内不能上门收购，也请多多原谅！特殊时期，让我们共渡难关，朝前看。希望在前边！……

# 朱师傅一家

赵大爷死后，朱师傅来了。接替赵大爷，成为我们儿童电影制片厂宿舍楼的管理员。职责和赵大爷一样，担负环境卫生及安全。

朱师傅可能比我年龄小七八岁，安徽农民。自然，他住在赵大爷住过的小小门房里。门房约十平方米，隔为两间。外间是收发和传达室，朱师傅住里间。小小门房一分为二，里间摆一张单人床和一张窄桌外，也就没什么余地了。收发和传达另有人负责，地方也特别小，所以朱师傅的起居，客观上就限定在里间了。

别人都叫他朱师傅，或叫他老朱。他年龄明明比我小，我叫他老朱自觉不合适，故也随年轻人们叫他朱师傅，他则随年轻人叫我“梁老师”。

有次我说：“朱师傅，别叫我梁老师，叫我老梁。”

他愣了愣，却说：“那哪儿成呢？那么多人都叫你梁老师，我怎么能叫你老梁呢？”

我说：“那就叫我晓声，不是也有那么多人叫我晓声吗？”

他说："他们是你朋友啊！"

我说："那你也当我是朋友嘛。"

他说："行，梁老师，以后我就当你是朋友！"

直到现在，他仍叫我"梁老师"——虽然我觉得他已经拿我当朋友了。

和赵大爷一样，朱师傅也是极有责任心的人。我们宿舍楼周围的环境卫生一直挺好，人们都是比较满意的，这受益于朱师傅的责任心和勤劳。

记不得从哪一年起，朱师傅的女儿朱霞来了。朱霞已经是大姑娘了，二十一二岁了，但看去仍像少女。她自幼患了小儿麻痹，一只手有些残疾。人们都很喜欢朱霞，我也喜欢她，她是个有礼貌又懂事的姑娘。人们也都很惋惜她的病，都希望她的病能在北京治好。

不久朱师傅的妻子和儿子也一道来了。他妻子是位质朴的农村妇女，她随朱师傅叫我"梁老师"，而我称她"嫂子"，这在辈分上是颠倒的。其实我应叫她"弟妹"，但我不习惯那么叫。而她呢，既然我称她"嫂子"，她似乎也就只有姑妄听之了。

朱师傅的儿子比朱霞小两岁，叫朱凡。朱凡是个清秀且聪明的农村小青年，比少年大不点儿的那类青年。

朱师傅常替人们修自行车。朱凡从旁看了几次，会修了。遇有谁家的自行车坏了，推到门房外，请朱师傅修，倘若朱师傅没时间亲自修，便将"任务"交代给朱凡，往往还要严肃地叮嘱："要认真修啊，不许对付！"

我曾对朱师傅说："朱师傅，别不好意思，要收钱。"

朱师傅笑着说："那哪儿行呢？那成什么事儿了呢？"

我也曾对朱凡说："你爸不好意思收钱，你有什么不好意思的？你要收！"

朱凡也和他父亲那么憨厚地笑，不吱声儿。

"朱霞，你收！"

朱霞也笑。

"嫂子，他们都不好意思，你出面收！在这一点上不必学雷锋，不必搞无偿服务！"

她同样憨厚地笑。

我也曾暗中对某些关系亲密者打招呼——"咱们都不要让人家朱师傅白修车啊！"

人们都说"对"。

其实街口就有修自行车的，但那修自行车的天一黑就收摊了。住在楼里的大人们或学生们，往往晚上了才想起自行车有毛病，怕影响第二天上班上学，于是只有求助朱师傅。而朱师傅从来有求必应，即使自己没空儿，也是先应下来，让儿子修。尤其冬季的晚上，不能把自行车搬屋里修，只能将电灯拉到外边，冻手冻脚地修……

这不给几元钱真是让人过意不去。

但据我所知，他们是从来不收钱的，非塞钱给他们，反而会搞得他们非常窘。我妻子的自行车，我儿子的自行车，他们也不知贪黑给修过多少次了。

我们也只能送些东西，变相地表示感谢。

朱霞曾在北京住院治过病，厂里为此发起了募捐，或多或少，是一份心，总之几乎都捐了，捐的都很情愿。

原本仅容得下一张床的传达室里间，四口之家是显然、绝对没法儿同住的。但这世上在一些人看来是显然的、绝对的事，在另外一些被逼到被推到那事前的人们，往往就不那么显然不那么绝对了。正所谓事是死的，人是活的，生存空间是小的，人生活的心气儿却可以大一些。朱师傅捡了一张破木床，修修，将两张木床摞起来了，成了双层的床。又捡了一块板，晚上临睡前将下床接出一条。就这样，显然而又绝对解决不了的困难，似乎也就得到了一定程度的解决。朱霞和母亲每晚睡下床，睡得多么挤是可想而知的。朱凡睡上床，而朱师傅自己，则每晚在厂里到处找地方借宿。好在厂里有些供值班人员睡的床，一般情况下他借宿不会遭到拒绝。

现在，这一家四口的生活，主要靠朱师傅一人的微薄收入维持着，但我从未见朱师傅愁眉苦脸过。朱师傅另外还有没有收入呢？有是有的——四处捡些废品卖。

他清除七个垃圾通道时，常将易拉罐儿、塑料瓶挑出来攒着，我也常见他推了满满一车废品送往什么地方的废品站。

我曾听有人说："嘿，又发了，也许卖不少钱呢！"

我不相信现而今谁靠捡废品卖会"发"。倘真能，为什么我们城里人不也"发"一把呢？一个易拉罐儿几分钱，一斤废报几角钱，这我也是知道的。一车废品卖不了多少钱的，明摆着的事儿。

朱师傅挣的是城里人，尤其是北京人显然、绝对不愿挣的钱，也是显然、绝对在靠诚实的劳动挣钱。

故我常将能卖钱的废品替朱师傅积攒了，亲自送给他。

有次我问："怎么最近没见朱凡啊？"

他笑了，欣慰地说："去学电脑了！"

这一位中年的，安徽农村来的农民父亲，就用自己卖废品所得的钱，供他的儿子去学最现代的谋职技能。

现在朱凡已经在某邮局谋到了一份临时的工作，尽管收入和他父亲的收入一样很低微，但毕竟全家多了一份收入啊！

某日，朱师傅见了我，吞吞吐吐地问："你看，如果我想在车棚这一角用些胶合板围一处我睡觉的地方，厂里会同意吗？"

我说："我不是早就建议你这样做了吗？只管照你的想法做吧，厂里我替你说。"

厂里的领导也很体恤他一家。

现在，朱师傅有了自己的栖身之处——就在门房的边上，一米多宽，两米多长，用胶合板围的一个箱子似的"房间"。睡在里边，夏天的闷热，冬天的森冷，大约非一般城里人所能忍受。

现在，这一家人已在北京，确切地说，在我们童影的门房生活了七八年了。除了朱霞，朱师傅、"嫂子"和朱凡，都在为生活而挣钱。不管一份工作多么脏，多么累，收入多么低微，在北京人看来是多么不值得干，不屑于干，在他们看来，却都是难得的机遇……

在风天，在雨天，在寒冬里，在赤日下，我常见"嫂子"替朱师傅清理七个垃圾通道，替朱师傅打扫宿舍区和厂区的卫生，也像朱师傅一样，从垃圾里挑拣出可卖点儿钱的东西。她替朱师傅时，朱师傅则也许往废品站送废品去了，也许另有一份儿活，去挣另一份儿钱了。"嫂子"推垃圾车的步态，腾腾有力，显示出一种“小车不倒只管推”的样子。

这一家的每一个成员，似乎总是那么乐观，似乎总是生活得那么亲情融融。有时我不免奇怪地想，他们的乐观源于什么呢？当然，我知道，他们一家人要通过共同的努力，早日积攒下一笔钱，然后回安徽农村去盖房子。那须是多大数目的一笔钱呢？三万，还是五万？他们离这个目标还有多远呢？

似乎，为了达到这个目标，他们再豁上七八年的时间也不足惜。而且，一定要达到，一定能达到。难道，这便是他们乐观的生活态度的因由吗？哪一个人没有生活的目标呢？

哪一个家庭没有生活的目标呢？

但是，有多少人，有多少个家庭，身处声色犬马灯红酒绿的大都市里，不谤世妒人，不自卑自贱，不自暴自弃，一心确定一个不超出实际的寻常得不能再寻常的生活目标，全家人同舟共济，付出了一个七八年，并准备再付出一个七八年去辛辛苦苦地实现呢？

我清楚，这样的人，这样的人家，在北京也是不少的。

这一种生活态度不是很可敬吗？

自尊，自强，自立——于老百姓而言，不就是得像朱师傅一家一样吗？十分难得的是，他们还有那么一种仿佛任什么都腐蚀不了的乐观！这乐观可贵呀！我常对自己说，朱师傅是我的一面镜子。他这一面镜子，每每照出我这个小说家生活的矫情。

我也常对妻子和儿子说，朱师傅一家是我们一家的镜子。相比于朱师傅和他的一家，我和我的一家，还有什么理由不乐观地生活？我们对生活所常感到的不满足不如意，不是矫情又是什么呢？

# 小芝麻粒儿

“小芝麻粒儿”是个女孩儿。两年前，好友A君带她到我家来，预先在电话里说她要采访我。当我开门让进他们后，朝外又张望了一眼，奇怪地问：“人呢？”A君回答：“没谁了，就我俩。”我又问：“记者呢？”A君说：“是她。”我不由得扭头打量——她穿着运动鞋，个子看去不高，也就一米六五吧，女式半袖T恤，运动短裤，但是身材很匀称，腰特别细，而且……薄，所以用“窈窕”二字形容也还恰如其分。总而言之她当时给我的印象是像一只细腰蜂。

主客坐定，我望着她有把握地问：“高二了吧？”

我以为她是高二刚分在文科班的女生，一年后打算报考新闻专业，采访我纯粹是为了实习实习。女孩儿大眼睛，薄嘴唇，脸颊瘦削，看去精精神神的，蛮清秀。

她回答：“没有高二了呀。”——表情端庄，语调柔婉。一个拖出轻声的“呀”字，使她的话听来如小女儿言。A君替她补充道：“都大学毕业四年了，在一家外企工作。”我心中暗暗一算，那么她起码该二十六七岁了，人家是个大姑娘了嘛！我又问她，为什么已在外企工作了，还要来对我进行采访？她那双看人时有点儿定定的大眼睛求助地瞟向A君，于是A君替她解释："她同学在报社当编辑，给了她这么一个采访任务，再说她工作之余也喜欢写写。"我问她都写过什么？她说诗啊，散文啊，还有童话啊，都写过，发表了几篇。

那天她对我进行了一个多小时的采访。于我是一次态度郑重的敷衍，于她，我想她一定是有所感觉的。

果然，晚上她给我打来了电话，开口便说："梁大作家，没想到你是那样的！"

我说："我配合你完成了采访任务，你怎么还像对我有意见似的？"

她说："可你明明是在应付我！"——接着也不给我开口的机会，又说她进行过调查了解，十之七八的青年并不知道我的名字并没读过我的书，而读过的都不喜欢我写的那些作品……竟还说："姑且算作品吧。"

她话说得很快，忽然压低声音道："对不起，不是不给你平等的说话权利，我们只有十五分钟喝茶的时间，我该回写字间去了。"

放下电话，我愣了片刻，便给A君打过去电话，抱怨地说："你带到我家来一个什么女孩儿呀！耽误了我的时间，刚刚竟还挖苦了我一通！"

A君开导我："你是长者，一切多担待，何况你也多了种机会了解当代的某些女孩子……"

我打断道："某些？专指她'那样式'的？"

A君耐心地说："你别年轻人挖苦了你几句就经不起似

的！有点儿风度行不行？我向你保证，她是个可爱的女孩儿。再说和我不一般关系，不看僧面看佛面……”

后来，她又采访了我一次，是关于“时尚”话题的。这一次我较为认真地接受了她的采访。然我一向对于“时尚”二字反感透顶，觉得那个在中国传媒中频繁出现的词，已“黏人”到了令我嫌恶的程度。我记得我在回答时说“时尚不过就是摩登”，还形容“时尚”是谙人间惑术的“巴儿狗”。

她目光定定地仿佛还有点儿愕异地盯着我听我说。终于轮到她开口时，她平心静气地道出自己的一番看法：“其实我觉得时尚并不就是摩登。摩登是时髦，是对时尚的一种不相宜的夸张和炫耀。而时尚是一种虽然往往与时髦并行，但是永远不会被改变为时髦的事物。时髦是一种企图追求到某种品质却几乎永远也追求不到的现象，而时尚却好比一枚一生出来就有品质的蛋，时尚其实是‘尚时’的意思，就是还没开始流行的状态，所以不同于时髦……”

我觉她的话有道理，并且将那道理用语言表达得挺好，于是刮目相看。那一次采访，因为有了点儿争论的意味儿，她反而显得满足，大概以为那才叫认真对待。临走前我问她，是不是与我的好友A君是近邻？她说：“比邻居关系更近。”我又问：“亲戚？”她说：“比亲戚还亲。”我一时困惑得说不出话来。她咯咯笑了：“他是我爸爸呀！”

晚上我给好友打电话，责问为什么不告诉我她是他女儿？A君说：“唉，不许我告诉嘛！你看，她自己倒忍不住彻底交代了，但我希望你还是应该对她保持一种威严。”我问为什么？他说：“我说她不服之时，你可以帮我呀！”

然而自从知道了她是A君的女儿，我对她也就威严不起来了。A君长我十余岁，不仅有一女，还有一子。儿子已成家，女儿与他们老伴俩共同生活。后来我与A君之间关于他女儿的话题渐多，有次在他家他内疚地对我说："我这女儿呀，从小被我管束得太严，管坏了。都二十六七岁了，在家里还是个孩子似的，好像越大越傻。"我说："她不傻呀，挺聪慧的。"

A君说："工作方面是不傻。可二十六七岁了还不知道谈恋爱找朋友，自己也不急。"A君的老伴插言道："设身处地替孩子想一想，孩子她都没时间谈恋爱找朋友啊！"我问："工作有那么忙？""可不嘛！要是冬天，天刚亮就出门上班去了。这孩子要强，在外企工作三年多了，一次没迟到过。下班也晚，九十点钟才回到家里是常事。星期六星期日两天休息，往往用一整天补觉，睡呀睡呀，叫吃饭都叫不醒。还剩一天呢，就一心只想玩了。"——当母亲的叹了口气。

正说着，他们的女儿以手掩口，打着哈欠从自己的小屋走了出来。我问她："听到你爸妈的话了吗？"她点点头，去喝水。我说："一个星期一天，谈恋爱也差不多够了。玩是可以两个人一起的事儿，何不同时进行？"

她说："同时进行当然好了。可要找到那个爱我，我也爱他的人，要用比谈恋爱本身多得多的时间呀！这么着吧叔叔，您先替我找着。替我找到之前，我抓紧时间一个人玩儿挺好。再不抓紧时间玩儿都老了，结果落得个既没爱过，也没好好玩儿过的下场。两耽误，人生岂不是更可悲？"——说完，打着哈欠回到她的小屋去了，八成继续补觉。

A君苦笑道："听听，说的是什么话！"他老伴儿望着我请求地说："真的，你也替我们操操心行不。"我说："行。"不料小屋里传出他们女儿的话："叔叔，我刚才不过随口一说，千万别听我爸妈的，爱人我以还是自己去发现的好。"

有一个星期六的晚上，我接到她的电话，说希望我第二天陪她逛动物园。我说没时间，她说她老爸要给我照相，也去。那是我早就答应了A君的事。我略一犹豫，她就在电话那端说："叔叔算你答应了啊！"可是第二天，我在动物园门口只见着了她。她狡黠地一笑，说她老爸临时有事，来不了啦，而我意识到，上当了。一上午她显得特别高兴，主动说了许多话。她说从初中到高中，为了能考上一所使父母也使自己有光彩的大学，舍不得时间玩。大学毕业后一参加工作，没时间玩了，并且扳着指头遗憾地说，从十六七岁到二十六七岁，总共才开开心心地玩了有限的几次。她看每一种动物的目光，那纯粹是小女孩第一次看到它们的惊奇的目光，我觉得我像是带着一个八九岁的女童在逛动物园。

我问她在外企具体做什么工作？她说给一位部门长当助理。我说那也算高白领了。她说其实她觉得自己是"小芝麻粒儿"，镀银的一粒小芝麻粒儿。我说，起码你的工资是令人羡慕的。她说叔叔不骗你，有时我加班到晚上十点多，觉得自己口中有血腥气，而那时整幢写字楼就剩我和一名等着关大门的保安了……我倏然间明白了她为什么那么爱玩和贪睡。我问她的顶头上司对她如何？她说挺好。我问真的？她说如果能再多体恤她一点儿，就是一位好上司了。我说可见你的上司有不够体恤你的时候。她想了想，说她不该抱怨给自己发工资的人，养成习惯就不好了，冲着那份儿不菲的工资，她得具有任劳任怨的敬业精神。我问，据我所知，在外企工作的中国人，如果摊上一位同胞上司，反而可能是一种不幸，实际情况是不是那样？

她想了想，委婉地回答，中国人替外国人要求自己的同胞，总是会比外企老板要求得更严。不过也可以理解，他们只有那样表现，升得才快……

我问："你的上司是中国人还是外国人？"她忽然觉得失言，岔开话题道："叔叔，咱们看大象表演节目去吧！"

一天下午，A君打来电话，说她女儿还要来采访我。沉默片刻，又说："我女儿失业了……"我不禁"噢"了一声。"她公司负责社会福利保险的一位部长，把公司应该替新来的一名女大学生缴的保险金额压得低于公司内部规定的一半多。她觉得不公，替那大学生据理力争，结果一时冲动，和部长吵了起来……"

我问："对方是咱们中国人吧？"

A君说："可不嘛。他还对我女儿说'你不想干了就走人！'我女儿一气之下辞职了。但那名女大学生反倒想开了，留下了……"

我不知再说什么话好。

"小芝麻粒儿"来时，脸上少了往常的开朗神情，一副心事重重的模样，而我心里，却对她升起了几分敬意。

这一次不是我应付她，而是她自己采访得有点儿心不在焉。结束后，我说："小芝麻粒儿，叔叔想过几天去爬香山，你陪我如何？"她顿时高兴起来，一双大眼睛亮晶晶地说："好呀！好呀！……"

第五辑

# 老茶农和他的女儿

# 玻璃匠和他的儿子

二十世纪八十年代以前，城市里每能见到一类游走匠人——他们背着一个简陋的木架走街串巷，架子上分格装着些尺寸不等、厚薄不同的玻璃。他们一边走一边招徕生意："镶——窗户！……镶——镜框！……镶——相框！……"他们被叫作"玻璃匠"。

有时，人们甚至直接这么叫他们："哎，镶玻璃的！"

他们一旦被叫住，就有点儿钱可挣了，或一角，或几角。总之，除了成本，也就是一块玻璃的原价。他们一次所挣的钱，绝不会超过几角去。一次能挣五角钱的活，那就是"大活儿"了，他们一个月遇不上几次大活儿的。一年四季，他们风里来雨里去，冒酷暑，顶严寒，为的是一家人的生活。他们大抵是些由于这样或那样的原因而被拒在"国营"体制以外的人，按今天的说法，是些当年"自谋生路"的人。有"玻璃匠"的年代，城市百姓的日子都过得很拮据，也特别仔细。不论窗玻璃裂碎了，还是相框玻璃或镜子裂碎了，那大块儿的，是舍不得扔的，专等玻璃匠来了，给切割一番，拼对一番。要知道，那是连破了一只瓷盆都舍不得扔，专等锔匠来了给锔上的穷困年代啊！……

玻璃匠开始切割玻璃时，每每吸引不少好奇的孩子围观。孩子们的好奇心，主要是由“玻璃匠”那一把玻璃刀引起的。玻璃刀本身当然不是玻璃的。玻璃刀看上去都是样子差不了哪儿去的刃具，像临帖的毛笔。刀头一般长方而扁，其上固定着极小极小的一粒钻石。玻璃刀之所以能切割玻璃，完全靠那一粒钻石。没有了那一粒小之又小的钻石，一把玻璃刀便一钱不值了。玻璃匠也就只得改行，除非他再买一把玻璃刀。而从前一把玻璃刀一百几十元，相当于一辆新自行车的价格，对于靠镶玻璃养家糊口的人，谈何容易！并且，也极难买到。因为在从前，在中国，钻石本身太稀缺了，所以从前中国的玻璃匠们，用的几乎全是从前的——从前也即解放前的玻璃刀，大抵是外国货。解放前的中国还造不出玻璃刀来，将一粒小之又小的钻石固定在铜或钢的刀头上，是一种特殊的工艺。可想而知，玻璃匠们是多么爱惜他们的玻璃刀！与侠客对自己们的兵器的爱惜程度相比，也是不算夸张的。每一位玻璃匠都一定为他的玻璃刀做了套子，像从前的中学女生为自己心爱的钢笔织一个笔套。有的玻璃匠，甚至为他的玻璃刀做了双层的套子。一层保护刀头，另一层连刀身都套进去，再用一条链子系在内衣兜里，像系着一块宝贵的怀表似的。当他们从套中抽出玻璃刀，好奇的孩子们就将一双双眼睛瞪大了。玻璃刀贴着尺在玻璃上轻轻一划，随之出现一道纹，再经玻璃匠的双手有把握地一掰，玻璃就沿纹齐整地分开了，在孩子们看来那是不可思议的……

我的一位中年朋友的父亲，便是从前年代的一名玻璃匠。

他的父亲有一把德国造的玻璃刀。那把玻璃刀上的钻石，比许多玻璃刀上的钻石都大，约半个芝麻粒儿那么大。它对于他的父亲和他一家，意味着什么不必细说。

有次，我这一位朋友在我家里望着我父亲的遗像，聊起了自己曾是玻璃匠的父亲，聊起了他父亲那一把视如宝物的玻璃刀。我听他娓娓道来，心中感慨万千：

他说他父亲一向身体不好，脾气也不好。他十岁那一年，母亲去世了，从此父亲的脾气就更不好了。而他是长子，下边有一个弟弟一个妹妹。父亲一发脾气，他就首先成了出气筒。年纪小小的他，和父亲的关系越来越紧张，也越来越冷漠。他认为他的父亲一点儿也不关爱他和弟弟妹妹。他暗想，自己因而也有理由不爱父亲。他承认，少年时的他，心里竟有点儿恨自己的父亲……

有一年夏季，父亲回老家去办理祖父的丧事。父亲临走，指着一个小木匣严厉地说："谁也不许动那里边的东西！"——他知道父亲的话主要是说给他听的，同时猜到，父亲的玻璃刀放在那个小木匣里了。但他毕竟是个孩子啊！别的孩子感兴趣的东西，他也免不了会对之发生好奇心的呀！何况那东西是自己家里的，就放在一个没有锁的、普普通通的小木匣里！于是父亲走后的第二天，他打开了那小木匣，父亲的玻璃刀果然在内。但他只不过将玻璃刀从双层的绒布的套子里抽出来欣赏一番，比画几下而已。他以为他的好奇心会就此满足。却没有。第三天他又将玻璃刀拿在手中，好奇心更大了，找到块碎玻璃试着在上边划了一下，一掰，碎玻璃分为两半，他就觉得更好玩了。以后的几天里，他也成了一名小玻璃匠，用东捡西拾的碎玻璃，为同学们切割出了一些玻璃的直尺和三角尺，大受欢迎。然而最后一次，那把玻璃刀没能从玻璃上划出纹来，仔细一看，刀头上的钻石不见了！他这一惊非同小可，心里毛了，手也被玻璃割破了。他怎么也没想到，使用不得法，刀头上那粒小之又小的钻石，是会被弄掉的。他完全搞不清楚是什么时候掉的，可能掉在哪儿了。就算清楚，又哪里会找得到呢？就算找到了，凭他，又如何安到刀头上去呢？他对我说，那是他人生中所面临的第一次重大事件，甚至是唯一的一次重大事件。以后他所面临过的某些烦恼之事的性质，都不及当年那一件事严峻。他当时可以说是吓傻了……由于恐惧，那一天夜里，他想出了一个卑劣的方法——第二天他向同学借了一把小镊子，将一小块碎玻璃在石块上仔仔细细捣得粉碎，夹起半个芝麻粒儿那么小的一个玻璃碴儿，用胶水粘在玻璃刀的刀头上了。那一年是一九七二年，他十四岁……

三十余年后，在我家里，想到他的父亲时，他一边回忆一边对我说："当年，我并不觉得我的办法卑劣，甚至还觉得挺高明。我希望父亲发现玻璃刀上的钻石粒儿掉了时，以为是他自己使用不慎弄掉的。那么小的东西，一旦掉了，满地哪儿去找呢？即使找不到，哪怕怀疑是我搞坏的，也没有什么根据，只能是怀疑啊！……"

他的父亲回到家里后，吃饭时见他手上缠着布条，问他手指怎么了？他搪塞地回答，生火时不小心被烫了一下。父亲没再多问他什么。

翌日，父亲一早背着玻璃箱出门挣钱去，才一个多小时后就回来了，脸上阴云密布。他和他的弟弟妹妹吓得大气儿都不敢出一口，然而父亲并没问玻璃刀的事，只不过仰躺在床上，闷声不响地接连吸烟……

下午，父亲将他和弟弟妹妹叫到跟前，依然阴沉着脸，但却语调平静地说："镶玻璃这种营生是越来越不好干了，哪儿哪儿都停产，连玻璃厂都不生产玻璃了。玻璃匠买不到玻璃，给别人家镶什么呢？我要把那玻璃箱连同剩下的几块玻璃都卖了。我以后不做玻璃匠了，我得另找一种活儿挣钱养活你们……"

他的父亲说完，真的背起玻璃箱出门卖去了……

以后，他的父亲就不再是一个靠手艺挣钱的男人了，而是一个靠力气挣钱养活自己儿女的男人了。他说，以后他的父亲做过临时搬运工，做过临时仓库看守员，还做过公共浴堂的临时搓澡人；居然还放弃一个中年男人的自尊，正正式式地拜师为徒，在公共浴堂里学过修脚……

而且，他父亲的暴脾气，不知为什么竟一天天变好了，不管在外边受了多大委屈和欺辱，再也没回到家里冲他和弟弟妹妹宣泄过。那当父亲的，对于自己的儿女们，也很懂得问饥问寒地关爱着了。这一点一直是他和弟弟妹妹们心中的一个谜，虽然都不免奇怪，却并没有哪一个当面问过他们的父亲。

到了我的朋友三十四岁那一年，也就是九十年代初，他的父亲因积劳成疾，才六十多岁就患了绝症。在医院里，在曾做过玻璃匠的父亲的生命之烛快燃尽的日子里，我的朋友对他的父亲孝敬倍增。那时，他们父子的关系已变得非常深厚了。一天，趁父亲精神还可以，儿子终于向父亲承认，二十几年前，父亲那一把宝贵的玻璃刀是自己弄坏的，也坦白了自己当时那一种卑劣的想法……

不料他父亲说："当年我就断定是你小子弄坏的！"

儿子惊讶了："为什么父亲？难道你从地上找到了……那么小那么小的东西啊，怎么可能呢？"

他的老父亲微微一笑，语调幽默地说："你以为你那种法子高明啊？你以为你爸就那么容易受骗呀？你又哪里会知道，我每次给人家割玻璃时，总是习惯用大拇指抹抹刀头。那天，我一抹，你粘在刀头上的玻璃碴子，扎进我大拇指肚里去了，我只得把揣进自己兜里的五角钱又掏出来退给人家。我当时那种难堪的样子就别提了，好些个大人孩子围着我看呢！儿子你就不想想，你那么做，不是等于要成心当众出你爸爸的洋相吗？……"

儿子愣了愣，低声又问："那你当年怎么没暴打我一顿？"

他那老父亲注视着他，目光一时变得极为温柔，语调缓慢地说："当年我是那么想来着，恨不得几步就走回家里，见着你，掀翻就打。可走着走着，似乎有谁在我耳边对我说，你这个当爸的男人啊，你怪谁呢？你的儿子弄坏了你的东西不敢对你说，还不是因为你平日对他太凶吗？你如果平日使他感到你对于他是最可亲爱的人，他至于那么做吗？一个十四岁的孩子，那么做成是容易的吗？换成大人也不容易啊！不信你回家试试，看你自己把玻璃捣得那么碎，再把那么小那么小的玻璃碴粘在金属上容易不容易？你儿子的做法，是怕你怕的呀！……走着走着，我就流泪了。那一天，是我当父亲以来第一次知道心疼孩子。以前呢，我的心都被穷日子累糙了，顾不上关怀自己的孩子们了……"

“那，爸你也不是因为镶玻璃的活儿不好干了才……”

“唉，儿子你这话问的！这还用问吗？……”

我的朋友，一个三十五六岁的儿子，伏在他老父亲身上，无声地哭了。

几天后，那父亲在他的两个儿子一个女儿的守护之下，安详而逝……

我的朋友对我讲述完，我和他不约而同地吸起烟来，长久无话。那时，夕照洒进屋里，洒了一地，洒了一墙。我老父亲的遗像，沐浴着夕照，他在对我微笑。他也曾是一位脾气很大的父亲，也曾使我们当儿女的都很惧怕。可是从某一年开始，他忽然似的判若两人，变成了一位性情温良的父亲。

我望着父亲的遗像，默默地陷入回忆——在我们几个儿女和我们的老父亲之间，想必也曾发生过类似的事吧？那究竟是一件什么事呢？——可我却没有我的朋友那么幸运，至今也不知道。而且，也不可能知道了，将永远是一个谜了……

# 老茶农和他的女儿

## 一

当女儿的手轻轻推开了窗扇，啊——一阵馥郁的气息随之而至。顿时的，她几乎醉了。

那是茶乡的早晨的气息。

城市和乡村的最根本的区别在于——乡村是有气息的，正如婴儿是浑身散发奶味的，而城市没有。

窗外，山丘波状的曲线近在眼前。一行行修剪过的茶树，从山脚至山头，层层叠叠，宛如梯田，使整座山丘成为茶山。

在对面的山腰，有这一户人家的几亩茶树，而房屋的左右两边，也是茶山。后边，是一条河。晚上，汩汩之声，彻夜入耳，那是河的永无休止的絮语，也是这茶乡的人们听惯了的。孩子们在家乡河的絮语声中长大成人，于是到城市里去试探人生的前途和世界的深浅。或者，像父母辈一样，成为新一代的茶农。近年，这茶乡的年轻人中，前一种越来越多了，后一种越来越少了。因为种茶也像种庄稼一样，一年到头，辛辛苦苦，也挣不到多少钱了。外出的年轻人们，即使在城市里始终没有获得什么有保障的人生，那也还是不情愿回到这茶乡的。偶尔回来，往往是由于自己在城市里闯荡得实在太累了，或者父母病了……

然而芸这一次回到家乡来，却是为了能在一个绝对不受任何干扰的地方潜心完成她的“出站”论文。芸是这个茶乡的骄傲，因为她不但至今仍是这个茶乡唯一考上大学的姑娘，而且现在已经读到博士后了。所以她要完成的论文，也就不是什么一般的毕业论文，而叫“出站”论文。一般人听了，是不太明白的。

芸在清明前十几天就回到茶乡了，那时的南方，天气还没怎么转暖。父亲每天起得很早，悄无声息地做好饭，热在锅里，然后自己便背着茶篓上山采茶去了，有时自己也吃几口饭，有时则连口饭也不吃。芸习惯了熬夜，为将论文写到优等的水平，每天睡得很晚，自然起来得也就很晚，一般总是在八点钟以后才醒。散步，洗漱，吃罢早饭，也就快九点了。一回到房间，便又埋头于写作。等到父亲叫她的时候，肯定便是中午了，那时父亲已采回过一篓茶叶。无论第二篓茶叶采满还是没采满，父亲都会在中午之前及时赶回家里，为的是能让女儿及时吃到午饭。开饭的时间，和大学食堂一样正点。午饭后，父亲刷锅洗碗，闲不住地收拾收拾这儿，打扫打扫那儿。而芸，照例再出去散步一小会儿。等芸散步回来，父亲或者盖件衣服在竹躺椅上睡着了，或者又背着茶篓采茶去了。那么，芸也开始午休了。她往往一觉睡到三点钟，那时父亲已背回了下午采的第一篓茶。父亲总是悄无声息地回来，又悄无声息地离去。那些日子，父亲经常说："茶叶又涨价了。新茶生出得那么快，可是生出的一笔笔钱啊，不采回家里多可惜。"——有时是对芸说，有时是自言自语。对芸说的时候，是在饭桌上。自言自语的时候，是在芸放下碗筷要去散步的时候。那时，芸并不接话的。怕一接话，父亲就跟她说起来没完。对于父亲的自言自语，芸只当是人老了，很普遍的现象。

## 二

在家乡的日子里，确切地说是在回家的日子里，芸的感觉好极了。芸至今还是一个独身女子。她不是一个漂亮女子，当然也不是一个多么丑的学习机器式的女子，她只不过不漂亮而已。那么对于她，在这个世界上目前只有一个家，便是有父母的地方，便是这个茶乡的这一幢两层的老木屋。它留给她的回忆都是那么的温暖。正如她所料想的那样，她写论文的过程没受到过任何干扰。除了在她回到家里的当天，有些乡亲们闻讯来看她，家里再就没人来过。因为父亲和乡亲们打过招呼了。那天父亲往家院外送乡亲们时，芸听到父亲这么说："我女儿这次回来和往年回来不一样，她这次是为了能安心地写好论文才回来的，那对她将来的前途要紧得很哩！大伙互相转告转告，还没来看过她的，先就不要来了吧，等我女儿写好了论文再来看她也不迟。"第二天吃早饭时，芸关心地问父亲为什么夜里咳嗽不止？并表示愿意陪着父亲到镇里的医院去检查检查。父亲笑了笑，说没什么大不了的，老毛病了，春秋两季常犯的，过了季节就好了。她本想到镇里去替父亲买药的，但一离开饭桌，伏到写字桌上去，不一会儿就忘了。晚上，父亲夹着被褥睡到楼下去了，芸也就没听到过父亲的咳嗽声……

芸有一个哥哥。哥哥嫂子有一个女儿，已经七岁了。哥哥嫂子带着女儿到广州打工去了，若从广州回来就和父亲住在一起。他们还没有自己的家，他们带着孩子到广州去打工，为的就是挣够一笔钱，也好早日盖起一处他们自己的家。而芸的母亲五年前去世了，芸竟没能及时赶回家乡和母亲见上最后一面。芸在大学里读的是新闻专业，毕业了通常是要当记者的。省城的一家报社在学校里进行招聘活动时，面试后对芸相当满意，基本上是将她预先聘定了，是她自己后来变卦了。大学快毕业的芸，对自己的人生有了更高的追求，觉得当记者太没意思了。人生的更高的追求，在芸的思想里，肯定是要凭借更高的学历去实现的，于是考研。芸有很好的记忆力，不久便成了本校经济学系的研究生。然而经济学非是她所喜欢的，也不相信学了经济学自己的人生将来便注定获得优越的经济基础，于是又向比更高还高的人生目标发起冲刺。三年后，她成了北京某所大学中文系的博士生，专业方向是中国古典诗词研究，母亲正是在她成为博士生那一年去世的。

母亲去世前，哥哥曾给她写过一封信，告诉她母亲是多么想她，而且病了。那时芸正以“头悬梁，锥刺股”般的刻苦精神备考，哪里会接到哥哥的一封信就十万火急地赶回家呢？等她顺利考完，隔了几天回到家乡时，母亲已成土中之人。芸自然是很悲痛的，她埋怨哥哥不该在信中将母亲的病那么轻描淡写，而哥哥一句话都没说，狠狠瞪她一眼，起身走到外边去了。

倒是父亲向她承认，是他不许哥哥在信中写得太明白，怕她着急上火，影响了考博的状态。

事实上，芸是幸运的，在获得研究生文凭以后，也曾有多种在省城就业的机会。但已经获得了研究生文凭的芸，觉得自己的就业人生不该是在省城里开始，而应该是在北京实现。既然自己具有那么强的记忆能力，既然自己那么善于考试，既然考博能使自己特别令人羡慕地成为北京人，干吗不呢？而读博的几年里，芸的日子基本上过得挺快活。人生初级阶段的最后竞争业已获胜，满心怀饱涨着不可名状的优越感，芸也有好情绪进行恋爱了。

两次恋爱却都未成功。一次因男方多次地也是公然地蔑视她的博士学位而夭折，一次因她自己的虚荣而告终——那个男人对她倒是无限的崇拜，但是个子比她矮了三厘米。如果她不是博士，仅仅是一名普通的大本毕业生，那么那三厘米的身高差距她也许还是可以包涵的，但是她已经是一位女博士生了啊，于是那三厘米的差距就无论怎么也跨不过去了。然而她倒也没觉得心灵上留下了多么大的创面，疼还是疼过几天的，仅仅几天之后就结痂了，日子便又渐渐恢复了快活的状态。

干吗不快活呢？校园的环境那么美好：两人一间宿舍，博士同学是已婚女子，更多的时候那间宿舍完全属于她自己。如果自己并不向导师请教什么问题，导师是不怎么过问她究竟在干什么的。至于专业呢，古典诗词的背后，有着许许多多或流芳千古或鲜为人知的才子佳人们的爱情故事，对于芸而言，研究那些故事是趣味无穷的，而最主要的心情快活的保障是——她再也不像是大本生和硕士研究生时那么手头拮据了。博士生的生活补助够每月吃饭的了，协助导师编书的报酬也不菲。自己还为某杂志开辟了一个专门介绍古典诗词背后的爱情故事的专栏，颇受好评，杂志社竟给她开出了最高稿酬，每月又是相当稳定的一千来元的入项……

## 三

昨天晚上，吃罢饭，芸没有像往日一样立刻起身回到自己的房间去。

她说："爸，我的论文写完了！"——说完，伸了个懒腰，一副大功告成的喜悦模样。她对自己的论文质量很满意，也很自信。

父亲望着她，欣慰地说："好啊，写完了好。"

芸又说："我怎么觉得我没瘦，反而胖了呢！"

父亲就笑了，再没说话。

怎么会瘦了呢？

饭桌上几乎顿顿也没断过鱼汤或鸡汤，老茶农对自己是博士的女儿的爱心，全都煨在汤里了。

"爸，我已经决定了明天下午就回北京去。"

"明天就回去？"

"我想学校的环境了。爸，我们的校园可大了，可美了！有湖，还有假山。湖里有野鸭，我想那些野鸭了……"

"女儿，你是不是还要再往下读好几年的书呢？"

"爸，我再也不必考什么学位了！我想，我已经该算是我这个专业的精英了。”

“什么鹰？”

“爸，你别想错了！好比一座宝塔，我已经是塔尖上的人了。”

“好，好啊。女儿，你终于出息了……”

不知为什么，父亲嘴上这么说着，表情却变得忧郁了。

女儿困惑地问：“爸，你有什么愁事儿吗？”

老茶农微微摇头道：“没有。女儿，你这么出息，爸爸还会有什么愁事呢？就真有，也不愁了。只是，茶叶又涨价了……”

“茶叶涨价了不是好事吗？”

“是啊，是好事，可我一个人，采不过来啊！”

“爸，那就雇人嘛！”

“雇人倒是省事，但四六分钱，一小半被别人得了，不划算啊！”

“爸，采一斤茶叶能卖多少钱？”

“十二三元呢。”

“那您一天采十斤，不才能卖一百二三十元嘛！爸，您就别计较划算不划算的了，干脆雇人吧！”

“干脆雇人？”

“干脆雇人！”

临睡前，当女儿的塞给父亲一千元钱，说是早就想寄回家来孝敬父亲的。

父亲却无论如何不肯收下。

父亲说：“女儿，我不缺钱，真的不缺。你在北京花销大，还是你留着吧。”

……

四

现在，女儿的皮箱已经放在门口了，单等着听到摩托车的喇叭声，拎起来就走了。

她已归心似箭。

可父亲为什么还不回来呢？

女儿望着山上那些采茶的身影，看不出哪一个是自己的父亲。

可自己一会儿就要走了，父亲为什么一早还要上山去采茶呢？不就多采回一斤茶才能卖十二三元钱吗？

女儿心里正这么责备着父亲，却听到了父亲上楼的脚步声。一转身，父亲已在跟前，手拿一只塑料袋，里边装的是刚煮熟的茶叶蛋。就在此时，一个本村的小伙子，在老屋前按响了他的摩托车喇叭。父亲头天晚上求他用摩托车将芸送到镇上去，镇上有去省城的长途公共汽车……

当芸已经坐在直达北京的特快列车上时，认出坐在自己对面的，竟是邻村的一位远房叔叔。

于是二人亲热地聊了起来。

“叔，到北京干什么去？”

“还能干什么去？打工呗！”

“如今一斤茶就能卖十二三元了，还非得背井离乡地去打工？”

“谁说一斤茶叶能卖十二三元了？”

“我父亲啊。”

“他骗你哩！现而今茶叶不稀罕了，种茶的收入也薄多了。清明前的头遍茶，最高价也就以每斤四五元来收！清明一过，一斤才能卖两元钱！”

“可，可……可我爸他骗我干什么呢？”

“我怎么知道！哎，芸啊，你父亲的病轻了重了？”

“我父亲……我父亲得什么病了？”

“你不知道？你不知道，我倒不好说了……”

“叔，快告诉我！……”

“唉，芸啊，你父亲他得的是肺癌啊！他已经是个活一天赚一天的人了啊！”

……

车轮隆隆……

列车向北，向北……

直达北京，而且特快，自然向北……

那茶乡，那老屋，那驻守着老屋的老父亲，离是博士后的女儿分分秒秒地远着……

车轮隆隆，仿佛在说：“回来！回来！”

当女儿的心里霎时明白了——茶叶的价格已经降到两元钱一斤了，而父亲却骗她说涨到十二三元一斤了，分明的，老父亲多希望她这一个是博士后的女儿，能留下帮他采几天茶呀！茶叶究竟多少钱一斤哪里还重要呢？……

车轮隆隆，仿佛在说：“分明，分明……”

是博士后的女儿，顿时省悟了——苦读十四年，年年月月收到过钱，原来是父亲、母亲、哥哥和嫂子，以每采一斤茶叶才挣几元钱的辛勤劳作成全着她的人生追求啊！

如今母亲已是泉下之人，而父亲说不定哪一天也是了……自己心里边所装的却是校园湖里的野鸭们！……

“唉，芸啊，我觉得你是读书读傻了哩！你父亲身体那么单薄了，脸色那么不好了，你怎么就会一点儿都没看出来呢？……”

女博士早已泪流满面！

她在心里对自己说：“我不是读书读傻了呀，我是……我是……”

车轮隆隆……

列车向北，向北……

车厢里忽然响起了哭声……

# 做竹须空，做人须直

“人生”对我是个很沉重的话题。

五次文代会我因身体不好迟去报到了两天，组织者几次打电话到厂里催我，还封了我一个“副团长”。

那天天黑得异常早，极冷，风也大。

出厂门前，我在收发室逗留了一会儿，发现了寄给我的两封信，一封是弟弟写来的，一封是哥哥写来的。我一看落款是“哈尔滨精神病院”，一看那秀丽的笔画搭配得很漂亮的笔体，便知是哥哥写来的。我已近十五六年没见过哥哥的面了，已近十五六年没见过哥哥的笔体了，当时那一种心情真是言语难以表述。这两封信我都没敢拆，我有某种沉重的预感，看那两封信，我当时的心理准备不足。信带到了会上，隔一天我才鼓起勇气看。弟弟的信告诉我，老父亲老母亲都病了，他们想我，也因《无冕皇帝》的风波为我这难尽孝心的儿子深感不安。哥哥的信词句凄楚之极——他在精神病院看了根据我的小说《父亲》改编的电视剧，显然情绪受了极大的刺激，有两句话使我整个儿的心战栗——“我知我有罪孽，给家庭造成了不幸。如果可能，我宁愿割我的肉偿还家人！”“我想家，可我的家在哪儿啊？谁来救救我？哪怕让我再过上几天正常人的生活就死也行啊！”

我对坐在身旁的影协书记张青同志悄语，请她单独主持下午会议发言，便匆匆离开了会场。一回到房间，我恨不得大哭，恨不得大喊，恨不得用头撞墙！我头脑中一片空白，眼泪默默地流。几次闯入洗澡间，想用冷水冲冲头，进去了却又不知自己想干什么……

我只反复地在心里对自己说两个字：房子、房子、房子……

母亲已经七十二岁，父亲已经七十八岁，他们省吃俭用，含辛茹苦抚养大了我，我却半点孝心也没尽过！他们还能活在世上几天？我一定要把他们接到身边来！我要他们死也死在我身边！我要发送他们，我有这个义务！我的义务都让弟弟妹妹分担了，而弟弟妹妹们的居住条件一点儿也不比我强！如果我不能在老父老母活着的时候尽一点儿孝子之心，我的灵魂将何以安宁？

哥哥是一位好哥哥，大学里的学生会主席。我与哥哥从小手足之情甚笃，我做了错事，哥哥主动代我受过。记得我小时候生过一场大病，想吃蛋糕。深更半夜，哥哥从郊区跑到市内，在一家日夜商店给我买回了半斤蛋糕！那一天还下着细雨，那一年哥也不过才十二三岁……

有些单位要调我，也答应给房子，但需等上一二年，童影的领导会前也找我谈过，也希望我到童影去起一些作用。童影的房子也很紧张，但只要我肯去，他们现调也要腾出房子来，当时我由于恋着创作，未下决心。

面对着两封信，一切的得失考虑都不存在了。

我匆匆草了一页半纸的请调书——用的就是五次文代会的便笺。接着，我去将童影顾问于蓝同志从会上叫出，向她表明我的决心。老同志一向从品格到能力对我充满信任感，执着双手说：“你做此决定，我离休也安心了！”随后我将北影新任厂长宋崇叫出，请他——其实是等于逼他在我的调请书上签了字。开始他愣愣地瞧着我，半晌才问：“晓声，你怎么了？你对我有什么误解没有？”我将两封信给他看。他看后说：“我答应给你房子啊！我在全厂大小会上为你呼吁过啊！”这是真话。这位新上任的厂长对我很信任，很关心，而且是由衷的。岂止是他，全体北影艺委会都为我呼吁过，连从不轻率对任何事表态的德高望重的老导演水华同志，都在会上说过“不能放梁晓声走”的话。北影对我是极有感情的，我对北影也是极有感情的。

记得我当时对宋崇说的是：“别的话都别讲了，北影的房子五月份才分，而我恨不得明天后天就将父亲母亲哥哥接来！别让我跪下来求你！”

他这才真正理解了我的心情，沉吟半晌说：“你给我时间，让我考虑考虑。”

下午，他还给了我那请调报告，我见上面批的是“既然童影将我支持给了北影，我没有任何理由不将晓声支持给童影，但我的的确确很不愿放他走”。

为了房子，到童影干什么我都心甘情愿，哪怕是公务员。童影当然不是调我去当公务员，于是我成了童影的艺术厂长……

我已正式到童影上班两个多月了，给我的房子却还未腾出来。

我身患肝硬化，应全休，但我能刚刚调到童影就全休吗？每天上班，想不上班也得上班。中午和晚上回去迟了，上了小学的儿子进不了家门，常常在走廊里哭。

房子没住上就不担当工作吗？那也未免过分的功利了。事实上，我现在已是全部身心地投入我的那份工作，我总不能骗房子住啊！

“人生”这个话题对我来说真是沉重的，我谈这个话题如同癌症患者对人谈患癌症的症状……

我从前不知珍惜父母给予我的这血肉之躯，现在我明白这是一个大的错误，明白了之后我还是把自己“抵押”给了童影厂。现在我才了解我自己其实是很怕死的，怕死更是因为觉得遗憾——身为小说家面对这纷杂的迷乱的浮躁的时代，我认为仍有那么多可以写的能够写的值得写的，我最需要谨慎地爱惜自己的时候。亲人和朋友们善良劝告，我也只能当成是别人的一种善良而已。我的血肉之躯是父母给予我的，我以血肉之躯回报父母，我别无选择。这是无奈的事。我认可这无奈，同时牢记着家母的训导。

家母对我做人的训导是——做竹须空，做人须直。

在我的中学毕业鉴定中，写有这样的评语：该学生性格正直，富有正义感。责人宽，克己严……一九六九年，“文革”第三年，我的鉴定中没有“造反精神”如何如何之类，而有这样的评语，乃是我的中学母校对我的最高评定。这所学校当年未对第二个学生做出过同样的评语。

在我离开兵团连队的鉴定中，也写有这样的评语：该同志性格正直，富有正义感，要求自己严格……

在我从复旦大学毕业的鉴定中，还写有这样的评语：性格正直，有正义感，同“四人帮”做过斗争，希望早日入党……十六位同学集体评定，连和我矛盾极深的同学，亦不得不对这样的评语点头默认……

在我离开北影的鉴定中，仍写有这样的评语：正直，正派，有正义感，对同志真诚，勇于做自我批评。

我不是演员，演员亦不可能从少年到青年到成年，二十多年表演不是自己本质的另一个人到如此成功的地步！我看重“正直、正派、真诚”这样的评语，胜过其他一切好的评语。这三点乃是我做人的至死不渝的准则。

我牢牢记住了家母的训导，我对得起母亲！我尤其骄傲的是在我较长期生活和工作过的任何地方，包括一直不能同我和睦相处的人，亦不得不对我的正直亦敬亦畏。我从不阿谀奉承，从不见风使舵。仅以北影为例，我与历届文学部主任拍过桌子，“怒发冲冠”过，横眉竖目过，但他们之中的绝大多数，如今都是我的“忘年交”。我调走得那么突然，他们对我依依不舍，惋惜我走前没入党。早在几年前，老同志们就对我说：“晓声，写入党申请书吧，趁现在我们这些了解你的人还在，你应该入党啊！你这样的年轻人入党，我们举双手！有一天我们离休了，只怕难有人再像我们这么信任你了！”党内的同志们甚至要在我走前召开支部会议，“突击”发展我入党，我阻止了。连刚刚到影不久的厂长宋崇，对此也深有感慨。

我愿正直、正派、真诚、正义这些评语，伴我终生。人能活到这样，才算不枉活着！

人在今天仍能获得这些，当然也是一种幸福！所以我又有理由说，我活得还挺幸福。最主要的，我自己认为是最主要的，我已并不惭愧地得到了，其他便是次要的、无足轻重的。

我对自己的做人极满意。

我是不会变的，真变了的是别人。一种类似文痞、流氓的行径，我看到在文坛在社会挺有市场。

我蔑视和厌恶这一现象。

真的文坛之丑恶，其实正是这一现象。

我将永久牢记家母关于做人的训导——做竹须空，做人须直……

好母亲应该有好儿子，反之是人世间大孽。

就是这样。

# 禅机可无，灵犀当有

我和作家柯云路应出版社的要求，自北京始，取道南京、上海、杭州、武汉、西安签名售书，历时十四天。

我正为中国电视剧制作中心创作连续电视剧《同龄人》，十四天对我来说是极其宝贵的时间，不情愿得很。而且，我一向认为，好的作家，只将自己认真耕耘的书稿经由出版社交付社会就是了，大可不必连自己也并热热闹闹地交付出去，仿佛用自己给自己的书做广告似的。但在时下，签名售书不仅已成了一种时髦，简直进而成了作家对出版社对书店以及对读者的一种义务。既然已经是义务了，也就无论以什么理由拒绝都会显得不礼貌了，也就只有识时务而从之的份儿了……

我在南京签名售书时，桌前曾一度拥挤，一中年妇女向我提出请求——把我名字也写上吧！我看了她一眼说："对不起，不写了，我看后边排了那么多人。"她还想争取，被后边的人挤了出去……后来一本我已签过了的书又摆在了我面前，我困惑地说："这一本我不是签过了吗？！"它的主人说："为了能请您签上我的名字，我又排了一次队，这总可以了吧？"我抬头一看，是刚才那位妇女。我不忍再拒绝，问："你叫什么名字？"她说："我叫林晓婷。"我问："哪一个'婷'字？"她说："女字旁加一个街亭的亭。"直至我签上了"林晓婷同志惠存"几个字，她才心满意足地持书而去……

那一天，我还碰到了中学时期教过我政治的一位女教师。她很激动，眼眶湿了。我也很激动，但又不可能和教师长谈，只能嘱咐书店的同志，将她买书的钱退给她，签名活动后我交钱，我不愿让我的中学教师买我的书，我要赠她我的书。

晚上，陪同我们的花城出版社的阎少卿同志交给了我一张字条。我展开看，只写着这样几行字：

○

晓声同志，多年不通信了，不知你一向可好？也不知你以前的病怎么样？得知您签名售书的消息，我特别向单位请了一次假。

我已有了自己的小窝儿，并且有了一个可爱的小女儿，已经三岁了。

祝您创作丰收！

林晓婷

○

倏地我想了起来——她是十年前很喜欢读我的小说的一位读者。当年她每读我一篇小说都差不多要写给我一封信，有时写得很长。对于我写得不好的小说，或虽不失为好小说但写得不好的地方，指出得比批评家们还坦率，一矢中的，仿佛她是我写作方面的一位严师……

一位作家能拥有这样的一位读者真是一种幸运，至今我对写作绝不敢产生哪怕一点儿漫不经心，不能不承认，因为我心中常有她那样的读者似乎时时要求着我。后来我们在南京见过一两面，我是“高高在上”的讲座者，她是普普通通的一名文学女青年、一名听众……再后来随着时间的流逝，她从我的读者中信中消失了。而十年后的今天，我们面对面的时刻，我竟“眈眈相视不识君”。

我好懊恼，懊恼我没能一眼便认出她，还要问她的名字是哪个“婷”。尽管那字条上留下了她单位的电话号码，但斯时她的单位肯定已下班。第二天我一早便离开了南京，将那份懊恼以及内疚带到了上海，带到了杭州、武汉和西安，一直带回了北京……当年的读者来信我早已不保存了。实在地说，我已忘了她的工作单位，只记得她是从医的。我给南京电视台的朋友写了封信，抄了她的电话号码和我家的电话号码，嘱咐朋友替我多多问候她，并欢迎她有机会来北京时，到我家里做客……

在西安，同样是签名案前拥挤的时刻，花城出版社的阎少卿同志挤入人墙，持一本书说：“先签这一本，先签这一本，一位残疾女青年摇着轮椅来买你的书……”争先恐后塞到我面前的书，一本本地又从我面前移开了，使我得以先签了那一本书……

倏忽间我想到——她从多远的地方赶来购书呢？如果很远，我是否应多给她一份满足呢？为了能够确实对得起她摇着轮椅车而来……

我放下笔对人们说：“请大家耐心略等一会儿，我要去看看那青年……”

人们默默从签名案前闪开了，那一刹那，我从人们脸读到了两个字——理解。

我绕出柜台走到了那坐在轮椅上，只能远远观望签名情形的文学女青年跟前。

她说："谢谢你为我签名。"

我说："谢谢你买这一本书。"

她在西安画院工作，画工笔花鸟画……

我见她似乎欲言又止的样子，主动说："如果你高兴的话，我们合一张影吧。"

她说："我心里正这么想，可不好意思开口……"说着要从轮椅上站起来……

我急忙扶她坐下，请一位记者替我们照了一张相。过后我悄悄嘱咐那位记者："不一定要寄给我，但是别忘了一定寄给她一张……"

我并不以为自己是名人，在今天一位作家若这么以为，是荒唐可笑的。某些作家也会这么说，但骨子里那份妄自尊大，是非常讨人嫌的。他们或她们有时无视别人对自己的哪怕一点小小的企望，仿佛在他们眼里普通人是根本不必费神予以理睬的。如今开口闭口玄谈禅机的人是越来越多了，因为已经成了一种时髦。我自忖与禅或道或儒什么的是无缘的，而且不耻于永做凡夫俗子。凡夫俗子就该有点凡夫俗子的样子，禅机可无，灵犀当有——那就是对人的理解，对人间真诚的尊重。这一种真诚的确在生活中随时随处可能存在，它是人心中的一种"维他命"。有时我百思不得其解，社会越文明，人心对真诚的感应应当越细腻才是，为什么反而越来越麻木不仁了呢？那么一种普遍的巨大的麻木有时呈现出令人震惊的状态来。也许有人以为那一种真诚是琐碎的，可倘若琐碎人生里再无了“琐碎”的真诚，岂非只剩下渣滓似的琐碎了吗？诚然几本书并不可能就使谁的人生真的变得不琐碎，作如是想除了妄自尊大，还包含有自欺欺人……

返回北京途中，小阎说：“五个城市签下来，你一共大概签了一千五六百本！”我笑笑说：“也许吧。”我问他是否感到是一种损失？他说并不。他说收获很大，收获到了不曾预想过的……

我相信他说的是真心话，于是我们的手互握了一下。

在有的城市，书店的同志不免会在我耳畔低声催促，快点儿签，日期用阿拉伯数字签就行……

我那样签了几本，但绝大多数并不用阿拉伯数字，而且签得极认真尽量将名字写清楚。有一次购书者听到了书店同志的话，抗议起来：“别催他！我们有耐心！”我以为“耐心”二字颇堪嚼。虔诚是需要一点儿耐心去换取的，于我于读者于生活中一切人，该都是这样吧？

# 父母是最朴素的人文

一年一度，又逢母亲节、父亲节。

我的意识中，母亲像一棵树，父亲像一座山。他们教育我很多朴素的为人处世道理，令我终身受益。我觉得，对于每一个人，父母早期的家教都具有初级的朴素的人文元素。我作品中的平民化倾向，同父母从小对我的教育和影响密不可分。

我出生在哈尔滨市一个建筑工人家庭，兄妹五人，为了抚养我们五个孩子，父亲在我很小的时候就到外地工作，每月把钱寄回家。他是国家第一代建筑工人。母亲在家里要照顾我们五个孩子的生活，非常辛劳。母亲给我的印象像一棵树，我当时上学时看到的那种树——秋天不落叶，要等到来年春天，新叶长出来后枯叶才落去。

当时父亲的工资很低，每次寄回来的钱都无法维持家中的生活开支，看着我们五个正处在成长时期的孩子，食不饱腹，鞋难护足，母亲就向邻居借钱。她有一种特别的本领，那就是能隔几条街借到熟人的钱。我想，这是她好人缘所起的作用。尽管这样，我们因为贫困还是生活得很艰难，五个孩子还是经常挨饿。

一次，我小学放学回家走在路上，肚子饿得咕咕叫，正无精打采往家赶时，看到一个老大爷赶着马车从我面前走过。一股香喷喷的豆饼味迎面扑来，我立即向老大爷的马车看过去，发现马车上有一块豆饼。我本来就饿，再加上豆饼香味的刺激，当时只有一个念头，拿着豆饼填饱肚子。我趁着老大爷不注意，抱起他身旁唯一的一块豆饼，拔腿就跑。

老大爷拿着马鞭一直在后面追我，我跑进家里，他不知道我一下子跑入了哪间房子。我心惊胆战地躲在家里，可没想到他还是找到了我家。

“你看到一个偷我豆饼的小孩儿吗？”老大爷问我母亲。

母亲对发生的事全然不知。老大爷就把事情的经过给母亲详细说了一遍，然后蹲在地上沮丧地说：“我是农村的庄稼人，专门替别人给城里的人家送菜，每次送完菜，没有工钱，就得到四分之一块豆饼，可没想到半路上豆饼被一个学生娃给抢了，可怜我家里还有妻子和孩子，就靠这点豆饼充饥……”

母亲听完后，立即命令我把豆饼还给了老大爷。他走了十几米远后，母亲突然喊住了他。母亲将家中仅剩的几个土豆和窝头送给了他，老大爷看到玉米面做的窝头时，就像一个从未见过粮食的人一样，眼睛放亮，一边不停地说着感谢的话一边流着眼泪。

母亲回到家时，我以为她会打骂我，可她没有，她要等所有的孩子都回来。晚饭后，她要我将自己的行为说了一遍，然后她才严厉地教训我：“如果你不能从小就明白一个人绝不可以做哪些事，我又怎么能指望你以后是一个社会上的好人？如果你以后在社会上都不能是一个好人，当母亲的又能从你那里获得什么安慰？”这些道理不在书本里，不在课堂上，却使我一生受益。

当时我家虽然非常穷，但母亲还是非常支持我读书。穷日子里的读书时光，对我来说是最快乐的。当时家中买菜等事都由我去做，只要剩两三分钱，母亲就让我自己留着。现在两三分钱掉到地上是没人捡的，那时五分钱可以去商店买一大碟咸菜丝，一家人可以吃上两顿，两分钱可以买一斤青菜，有时五分钱母亲也让我自己拿着。我拿着这些钱去看小人书。

母亲最令我感动的是发生在三年自然灾害期间的那件事。当时因为我们家里小孩儿多，所以政府给了我们家一点粮食补贴，补了五至十斤粮食吧。月底的最后一天，家里一点粮食都没有了，揭不开锅，母亲就拿着饭盆将几个空面粉袋子一边抖一边刮，终于刮出了一些残余的面粉。母亲把它做成了一点疙瘩汤，然后在小院子里摆上凳子。

正在我们吃饭的时候，来了一个讨饭的。那是一个留着长胡子的老人，衣服穿得很破，脸看上去也有几天没洗。他看着我们几个孩子喝疙瘩汤的时候，显得非常馋。母亲给他端来洗脸水后，又给他搬凳子，把她自己的那份疙瘩汤盛给了他，而自己却饿着肚子。然而这件事被邻居看到后，不知是谁开居委会时把这个事讲出来了，说我们家粮食多得吃不完，还在家中招待要饭的人。从这以后，我们家就再也没有粮食补贴了。可我母亲对这件事并没有后悔，她对我们说你们长大后也要这样。我觉得有时母亲做的某些小事，对儿童和少年都具有早期人文教育的色彩。我现在教育我的学生时也经常这样讲，少写一点初恋、郁闷，少写一点流行与时尚，多想一下自己的父母，如果连自己的父母都不了解，谈何了解天下。

我们这一代人的父母，几乎没有过过一天幸福的晚年。老舍在写他的母亲时说，我母亲没有穿过一件好衣服，没有吃过一顿好饭，我拿什么来写母亲。我能感受到作者当时的心情。萧乾在写他母亲时说，他当时终于参加工作并把第一个月的工资拿来给母亲买罐头，当他把罐头喂给病床上的母亲时，她已经停止了呼吸。季羡林在回忆他母亲时写道，我后悔到北京到清华学习，如果不是这样，我母亲也不会那么辛苦培养我读书。我母亲生病时，都没有告诉我，等我回到家时，母亲已经去世，我当时恨不得一头撞在母亲的棺木上，随她一起去……这样的父母很多，如果我们的父母也长寿，到街心公园打打太极拳，提着鸟笼子散散步，过生日时给他们送上一个大蛋糕，春节一家人到酒店吃一顿饭，甚至去旅游，我们心中也会释然。如果我们少一点粗声粗气地对母亲说话，如果我们能多抽出一点时间来陪陪母亲，那就好了。我想全世界的儿女都是孝的，只要我们仔细看一下“老”字和“孝”字，上面都是一样的，“老”字非常像一个老人半跪着，人到老年要生病，记性不好，像小孩儿，不再是那个威严的教育你的父母，他变成弱势了，在别人面前还有尊严，在你面前却要依靠……

最后我想说，爱是双向的。只有父母对孩子的爱，没有孩子对父母的爱，这种爱是不完整的。父母养育孩子，子女尊敬父母，爱是人间共同的情怀和关爱。

# 感激

有一种情愫叫作“感激”。

有一句话是“谢谢”。

我之所以频频回忆，实在是因为我内心里渐渐充满了感激。这感激是人间的温情从前播在一个少年心田的种子，我由少年而青年而中年，那些种子就悄悄地如春草般在我心田上生长……

我感激父母给我以生命。在我将孝而未来得及更周到地尽孝的年龄，他们先后故去，在我内心里造成很大的两片空白。这是任什么别的事物都无法填补的空白，这使我那么忧伤。

我感激我少年记忆中的陈大娘，她常使我觉得自己的少年曾有两位母亲。

那个大院里，我们两家住在最里边，是隔壁邻居。她年轻时就守寡，靠卖冰棍拉扯两个女儿一个儿子长大成人。童年的我，甚至没有陈大娘家和我家是两户人家的意识区别。经常的，我闯入她家进门便说：“大娘，我妈不在家，家里也没吃的，快，我还要去上学呢！”

于是大娘一声不响放下手里的活，掀开锅盖说："喏，就有俩窝窝头，你吃一个，给正子留一个。"——正子是他的儿子，比我大四五岁，饭量也比我大得多。那正是饥饿的年代，而我却每每吃得心安理得。

后来那个大院被动迁，我们两家分开了。那时我已是中学生，下午班，每提前上学，去大娘家。大娘一看我脸色，便主动说："又跟你妈赌气了是不是？准没在家吃饭！稍等会儿，我给你弄口吃的。"

仍是饥饿的年代，我照例吃得心安理得。少不更事，从不曾对大娘说过一个"谢"字，甚至心中也从未生出过感激。

有次，在路口看见卖冰棍的陈大娘受恶青年的欺负，我像一条凶猛的狼狗似的扑上去和他们打，咬他们的手。我心中当时愤怒到极点，仿佛看见自己的母亲受到欺辱……那便算是感激的另一种方式，也仅那么一次。

我下乡后再未见到过陈大娘，我落户北京后她已去世。我写过一篇小说《长相忆》——可我多愿我表达感激的方式不是小说，不是曾为她和力不能抵的恶青年们打架，而是执手当面地告诉她——大娘……

由陈大娘于是自然而然地忆起淑琴姐。她是大娘的二女儿，是我们那条街上顶漂亮的大姑娘，起码在我眼里是这样。我没姐姐，视她为姐姐，她关爱我，也像关爱一个弟弟。甚至，她谈恋爱，去公园幽会，最初几次也带上我，充当她的小伴郎。淑琴姐之于我的人生的意义，在于使我对女性从小培养起了自认为良好的心理。我一向怀疑"男人越坏，女人越爱"这种男人的逻辑真的有什么道理。淑琴姐每对少年的我说："不许学那些专爱在大姑娘面前说下流话的坏小子啊！你要变那样，我就不喜欢你了！”——男人对女人的终生的态度，据我想来，取决于他有没有幸运在少年时代就获得到种种非血缘甚至也非亲缘的女人那一种长姐般的、有益于感情质地形成的呵护和关爱，以及从她们那儿获得怎样的潜移默化的教育。我这个希望自己有姐姐而并没有的少年，从陈大娘漂亮的二女儿那儿幸运地都获得过。似姐非姐的淑琴姐当年使我明白——男人对于女人，有时仅仅心怀爱意是不够的，而加入几分敬意是必要的。淑琴姐令我从小对女性的情感和心理是比较自然的，也几乎是完全自由的。这可谓幸运，又何尝不是幸福？

细细想来，我怎能不感激淑琴姐？她使少年的我对于女性情感呵护和关爱的需要，获得的既温馨，又饱满、健康。

后来，我下乡了，我感激我的同班同学杨志松。在班里他不是和我关系最好的同学，只不过是关系比较好的同学。我们是全班下乡的第一批，而且这第一批只我二人。我没带褥子，与他合铺一条褥子半年之久。亲密的关系是在北大荒建立的。有他和我在一个连队，使我有了最能过心最可信赖的知青伙伴。当人明白自己有一个在任何情况之下都绝不会出卖自己的朋友的时候，他便会觉得自己有了一份特殊的财富。实际上他年龄比我小几个月，我那时是班长。我不习惯更不喜欢管理别人，小小的权力和职责反而使我变得似乎软弱可欺，因为我必须学会容忍制怒。故每当我受到挑衅，他便往往会挺身上前，厉喝一句——“干什么？想打架吗？！”

我也感激我另外的三名同班同学——王嵩山、王志刚、张云河。他们是“文革”中的“散兵游勇”，半点儿也不关心当年的“国家大事”。下乡前我为全班同学做政治鉴定，我力陈他们其实都是政治上多么“关心国家大事”的同学，唯恐一句半句不利于肯定他们“政治表现”的评语影响他们今后的人生，为此我和原则性极强的年轻的军宣队班长争执得面红耳赤。他们下乡时本可选择去离哈尔滨近些的师团，但他们专执一念，愿望只有一个 —— 我和杨志松在哪儿，他们去哪儿。结果被卡车在深夜载到了兵团最偏远的山沟里，见了我和杨志松的面，还都欢天喜地。

他们的到来，使我在知青的大群体中，拥有了感情的保险箱，而且，是绝对保险的。在我们之间，友情高于一切。时常，我脚上穿的是杨志松的鞋，头上戴的是王嵩山的帽子，棉袄可能是王志刚的。而裤子，真的，我曾将张云河的一条新棉裤和一条新单裤都穿成旧的了。当年我知道，在某些知青眼里，我也许是个喜欢占便宜的家伙，但我的好同学们明白，我根本不是那样的人。他们格外体恤我舍不得花钱买衣服的真正原因——为了治好哥哥的病，我每月尽量往家里多寄点儿钱……

后来杨志松调到团部去了。分别那一天，他郑重嘱咐另外三名同学：“多提醒晓声，不许他写日记，开会你们坐一块儿，限制他发言的冲动。”

再后来王嵩山和王志刚调到别的师去了，张云河调到别的连当卫生员去了。一年后杨志松上大学去了，我陷入了空前的孤独……

此时我有三个可以过心的朋友 —— 一个叫吴志忠，是二班长；一个叫李鸿元，是司务长；还有一个叫王振东，是木匠。都是哈尔滨知青。他们对我的友情，及时填补了由于同班同学先后离开而对我的情感世界造成的严重塌方……

仅仅有友情是不够的，我是那类非常渴望思想交流的知青。思想交流在当年是很冒险的事。我要感激我们连队的某些高中知青，和他们的思想交流使我明白，我头脑中对当年现实的某些质疑，并不证明我思想反动或疯了。如果他们中仅仅有一人出卖了我，我的人生将肯定是另外的样子，然而我不曾被出卖过。这是很特殊的一种人际关系，因为我与他们，并不像与我的四名同班同学一样，彼此有着极深的感情作为关系的前提和基础。在我，近乎人性的分裂——感情给我的同班同学，思想却大胆地仅向高中知青们坦言。他们起初都有些吃惊，也很谨慎。但是渐渐的，都不对我设防了。“九一三”事件以后，我和他们交流过许多对国家，当然也是对我们自身命运的看法。

真的，我很感激他们——他们使我在思想上不陷于封闭的苦闷……

一九七二年我调到了团部，我感激宣传股的股长王喜楼。他是现役军人，十年前病故。他使宣传股像一个家，使我们一些知青报道员和干事如兄弟姐妹。在宣传股的一年半，对我而言几乎每天都是愉快的。如果不是每每忧虑家事，简直可以说很幸福。宣传股的姑娘们个个都是品貌俱佳的好姑娘，对我也格外友好，友好中包含着几分真挚的友爱。不知为什么，股里的同志都拿我当大孩子。仿佛我年龄最小，仿佛我感情最脆弱，仿佛我最需要时时予以安慰。这可能由于我天性里的忧伤，还可能由于我在个人生活方面一向瞎凑合。实事求是地说，我受到几位姑娘更多的友爱。友爱不是爱，友爱是亲情之一种。当年，那亲情营养过我的心灵，教会我怎样善待他人……

我感激当年兵团宣传部的崔干事，他培养我成为兵团的文学创作员，对于改变我的人生轨迹起重要的作用，他就是我的小说《又是中秋》中的“老隋”。我感激木材加工厂的知青们——当我被惩处性地“精简”到那里，他们以友爱容纳了我，在劳动中尽可能地照顾我，仅半年内就推荐我上大学，一年后第二次推荐我，而且两次推荐选票居前。对于从团机关被“精简”到一个几乎陌生的知青群体的知青，这在一般情况下是根本没指望的。若非他们对我如此关照，我后来上大学就没了前提。那时我已患了肝炎，自己不知道，只觉身体虚弱，但仍每天坚持在劳动最辛苦的出料流水线上。若非上大学及时解脱了我，我的身体某一天肯定会被超体能的强劳动压垮……

我感激复旦大学的陈老师，这位生物系抑或物理系的老师的名字我至今不知。实际上我只见过他两面，第一次在团招待所他住的房间，我们之间进行了一个多小时的谈话，算是“面试”，第二次在复旦大学——我一入学就住进了复旦医务室的临时肝炎病房，我站在二楼平台上，他站在楼下，仰脸安慰我……任何一位招生老师，都有最简单干脆的原则和理由取消一名公然嘲笑当年文艺现状知青入学的资格，陈老师没那么做。正因为他没那么做，我才有幸终于成了复旦大学的“工农兵学员”——而这个机会，对我的人生，对我的人生和文学的关系，几乎是决定性的。

如果说，我的母亲用讲故事的古老方式无意中影响了我对故事的爱好，那么——崔长勇，木材加工厂的知青们，复旦大学的陈老师，这三方面的综合因素，将我直接送到了与文学最近的人生路口。他们都是那么理解我爱文学的心，他们都是那么无私地成全我。如果说，在所谓人生的紧要处其实只有几步路这句话是正确的，那么他们是推我跨过那几步路的恩人。

我感激当年复旦大学创作专业的全体老师。一九七四 年至一九七七 年，是中国政治风云变幻莫测的三年。我在这样的三年里读大学，自然会觉压抑，但于今回想，创作专业的任何一位老师其实都是爱护我的，翁世荣老师、秦耕老师、袁越老师又简直可以说对我关怀备至。教导员徐天德老师在具体一二件事上对我曾有误解，但误解一经澄清，他对我一如既往的友爱诚恳，这也是很令我感激的……

我感激我的大学同学杜静安、刘金鸣、周进祥。因为思想上的压抑，因为在某些事上受了点儿冤屈，我竟产生过打起行李一走了之的念头。他们当年都曾那么善意又那么耐心地劝慰过我。所谓“良言令人三月暖”，他们对我的友爱，当年确实使我倍感温暖。我和小周，又同时是入党的培养对象，而且，据说二取一。这样的两个人，往往容易离心离德，终成对头。但幸亏他是那么明事明理的人，从未视我为妨碍他重要利益的人。记得有一天傍晚，我们相约了在校园外散步。走了很久，谈了很多，从父母谈到兄弟姐妹谈到我们自己。最后，我们达成了这样的共识——天南地北走到一起，实在是一种人生的缘分，我们都要珍惜这缘分。至于其他，我们才不在乎！从那以后到毕业，我们彼此真诚，友情倍深……

我感激北影。我在北影的十年，北影文学部对我任职于电影厂而埋头于文学创作，一向理解和支持，从未有过异议。

我感激北影十九号楼的众邻居。那是一幢走廊肮脏的筒子楼，我在那楼里只有十四平方米的一间背阴住房。但邻居们的关系和睦又热闹，给我留下许多温馨的记忆……

我也感激童影。童影分配给了我宽敞的住房，这使我总觉为它做的工作太少太少……

我感激王姨——她是母亲的干姊妹。在我家生活最艰难的时日，她以女人对女人的同情和善良，给予过母亲许多世间温情，也给予过我家许多帮助……我感激北影卫生所的张姐——在父亲患癌症的半年里，她次次亲自到我家为父亲打针，并细心嘱我怎样照料父亲……

我感激北影工会的鲍婶，老放映员金师傅，文学部的老主任高振河——父亲逝世后，我已调至童影，但他们却仍为父亲的丧事操了许多心……

我甚至要感激我所住的四号楼的几位老阿姨们。母亲在北京时，她们和母亲之间建立了很深的感情，给了母亲许多愉快的时光……

我还要感激我哥哥的初中班主任王鸣歧老师，她对哥哥像母亲对儿子一样。哥哥患精神病后，其母爱般的老师感情依然，凡三十余年间不变。每与人谈及我的哥哥，必大动容。王老师已于去年病逝……

我还要感激我的班主任孙荏珍老师，以及她的丈夫赵老师——当年她是我们的老师时才二十二三岁。她对我曾有厚望，但哥哥生病后，我开始厌学，总想为家庭早日工作，这使她一度对我特别失望。然恰恰是在“文革”中，她开始认识到我是她最有独立思想的学生，因而我又成了她最为关心的几个学生之一……我还要感激哥哥的高中同学杨文超大哥，他现在是哈尔滨一所大学的教授。我给弟弟的一封信，家乡的报转载了。

文超大哥看后说——“这肯定是我最好的高中同学的弟弟！”于是主动四处探问我三弟的住址，亲自登门，为我三弟解决了工作问题——事实上，杨文超、张万林、滕宾生，加上我的哥哥，当年也确是最要好的四同学，曾使他们的学校和老师引以为荣。同学情深若此，不枉“同学”二字矣！

还有许许多多许许多多我应该感激的人，真是不能细想，越忆越多。比如哈尔滨市委前宣传部长陈风珲，比如已故东北作家林予，都不但有恩德于我，也有恩德于我的家。

我回头向自己的人生望过去，不禁讶然，继而肃然，继而内心里充满一大片感动！——怎么，原来在我的人生中，竟有那么多那么多善良的好人帮助过我，关怀过我，给予过我持久的或终生难忘的世间友爱和温情吗？！

没有那些好人，我将是谁？我的人生将会怎样？我的家当年又会怎样？我这个人的一生，却实际上是被众多的好人，是被种种的世间温情簇拥着走到今天的啊！我凭什么获得着如此大幸运而长久以来麻木地似乎浑然不觉呢？亏我今天还能顿悟到这一点！这顿悟使我心田生长一派感激的茵绿草地！生活，我感激你赐我如此这般的人生大幸运！我向我人生中的一切好人深鞠躬！

我想——心有感激，心有感动，多好！因为这样一来，人生中的另外一面，比如嫌恶、憎怨、敌意、细碎介梗，就显得非常小器、浅薄和庸人自扰了……

再祝好人一生平安！

（京）新登字 083 号
图书在版（CIP）数据

我的父亲母亲 / 梁晓声著 . -- 北京 : 中国青年出版社，2018.1（2022.8 重印）
（梁晓声爱的教育系列）
ISBN 978-7-5153-5032-5

Ⅰ . ①我… Ⅱ . ①梁… Ⅲ . ①散文集 – 中国 – 当代 Ⅳ . ① I267
中国版本图书馆 CIP 数据核字（2017）第 315258 号

# 我的父亲母亲

梁晓声 著

责任编辑：李钊平 彭慧芝
装帧设计：XXL Studio 刘晓翔 + 郑坤
出版发行：中国青年出版社
社址：北京市东城区东四十二条 21 号
网址：www.cyp.com.cn
编辑中心：010-57350578
营销中心：010-57350370
印装：北京中科印刷有限公司
经销：新华书店
规格：710 × 1000mm 1/16
印张：17.5
字数：250 千
版次：2018 年 2 月北京第 1 版
印次：2022 年 8 月北京第 3 次印刷
印数：16001—26000 册
定价：46.00 元